Ange
ou démon ?

Richie Tankersley Cusick

Traduit de l'anglais par
NICOLE FERRON

**Les éditions
Héritage inc.**

Données de catalogage avant publication (Canada)

Cusick, Richie Tankersley

  Ange ou démon?

  (Frissons).
  Traduction de: The lifeguard.

  ISBN 2-7625-3211-6

  I. Titre. II. Collection.

  PZ23.C87An 1990   j813'.54   C90-096651-3

Copyright © 1988 Richie Tankersley Cusick
Publié par Scholastic Inc., New York

Version française
© Les Éditions Héritage Inc. 1990
Tous droits réservés

Dépôts légaux : 4e trimestre 1990
Bibliothèque nationale du Québec
Bibliothèque nationale du Canada

ISBN : 2-7625-3211-6   Imprimé au Canada

LES ÉDITIONS HÉRITAGE INC.
300, Arran, Saint-Lambert, Québec J4R 1K5
(514) 875-0327

Prologue

Le sauveteur longe lentement les rochers, puis s'arrête pour tremper ses mains dans l'eau agitée.

Cette fois-ci, il y a eu du sang.

Les autres fois ç'avait été si facile... un instant de surprise quand ses victimes se rendent compte de ce qui arrive. Mais tout se passe tellement vite... aucune bavure.

Pourquoi cette fille l'avait-elle regardé dans les yeux en le suppliant de lui laisser la vie sauve aussi.

Il n'avait pas pu supporter ses cris, ni affronter son regard; il l'avait frappée encore et encore, jusqu'à ce qu'elle se tienne tranquille...

Pourtant il aurait bien voulu être gentil avec elle, parce qu'elle lui avait fait confiance et s'était préoccupée de lui...

Mais elle avait eu le malheur de lui avouer qu'elle était au courant de tout et qu'elle devrait prévenir les autres; on l'enfermerait...

Non, il ne fallait pas que ça arrive. Il devait penser à sa réputation.

Après tout... c'était lui, le sauveteur.

Chapitre 1

— *Ne te débats pas comme ça, prévient la voix. Ce sera plus facile si tu restes calme...*

Mais le grondement revient comme il le fait toujours; ce grondement de sons indéfinissables et ce cri assourdi, lointain...

— *Ne lutte pas...*

Mais elle lutte... prenant de grandes goulées d'air jusqu'à la seconde terrifiante où l'eau s'engouffre en elle, noire et silencieuse... sans fin...

— *Ne...*

La voix s'estompe, comme tout ce qui l'entoure..

— *Mon Dieu, aide-moi!*

Karine Trudel sursaute. Son coeur bondit dans sa poitrine et ses mains s'agitent désespérément à la recherche d'un point d'appui.

— Hé, tout va bien. Ce bateau est peut-être vieux, mais on peut se fier à lui.

Karine ne connaît pas ce garçon mais elle s'agrippe à ses épaules et ses yeux sont si près des siens qu'elle peut voir de petites lignes vertes briller derrière ses cils.

— Oh! murmure-t-elle avec un mouvement de recul. Oh... je ne voulais pas... je suis désolée...

— Ne t'excuse pas. Je suis habitué, les femmes se

9

jettent comme ça sur moi sans arrêt. Mais tu es encore très pâle; je vais aller te chercher un peu d'eau.

— Non, ça va. Ne te donne pas toute cette peine.

— Mais non, je reviens dans un instant, répond-il en riant.

Elle lui fait un petit signe de la tête et s'appuie sur le mur tandis qu'il disparaît dans l'escalier à l'autre bout du pont. Encore ce rêve! Karine veut chasser les images de sa mémoire, mais elles repassent sans fin dans sa tête comme un vieux film. Elle se force à regarder le bout de terre qui se rapproche. *Île Beverly*. Elle n'en a jamais entendu parler, mais Éric Cormier, l'ami de sa mère, a décidé de passer l'été sur cette île pour travailler à ses pièces et profiter un peu de ses enfants. Il a invité madame Trudel et Karine à venir les visiter, même si cette dernière préférait aller à la montagne avec la famille de son amie Josée.

— Ses fils sont sauveteurs, lui avait expliqué sa mère, et sa fille a vraiment hâte de te connaître.

— Nous allons probablement nous détester et je détesterai l'île aussi!

— Tu viens, un point c'est tout.

Karine geint en s'agrippant de plus belle à la balustrade alors que le bateau tangue sous ses pieds. De l'eau... encore de l'eau... ça ne semble pas avoir de fin.

— Te voilà!

Une main la rattrape au moment où elle perd l'équilibre.

— Doucement. Je pense que tu devrais t'asseoir si tu ne veux pas tomber.

C'est encore lui avec ses yeux verts, son grand

sourire et ses mains puissantes qui la guident jusqu'à un banc.

— Bois ça et reste tranquille. Je suis sauveteur, mais j'aimerais autant ne pas avoir à te repêcher aussi loin de la rive.

— Sauveteur? fait Karine. Serais-tu le fils d'Éric Cormier?

Pendant un moment, Karine sent une certaine gêne chez le jeune homme. Il la regarde et son visage se fait plus sérieux.

— Non... je m'appelle Stéphane Durocher. Mais je connais les deux fils de monsieur Cormier. Es-tu... une amie?

— Si l'on veut. Je viens lui rendre visite.

— Alors, tu ne sais pas?

— Qu'est-ce que je ne sais pas?

Il veut le lui expliquer, mais madame Trudel se dirige vers eux et sourit au garçon comme s'il était une vieille connaissance.

— Ce bateau n'est-il pas merveilleux! lance-t-elle. Je n'arrive pas encore à croire que nous sommes vraiment ici, et toi, Karine? Loin de la ville pendant deux semaines! Quel rêve! Tu viendras nourrir les mouettes avec moi? As-tu dormi?

À ces mots, Stéphane regarde Karine qui reste immobile, la tête baissée.

— Tu vas mieux maintenant? lui demande-t-il.

— Oui, merci encore, répond-elle en terminant son verre d'eau.

— Quelque chose ne va pas? demande madame Trudel.

— Mais non, un simple mal de tête. Je vais mieux...

— C'était encore ce rêve, dit sa mère. Oh! Karine,

il y avait si longtemps que tu l'avais eu...

— C'est ce bateau et toute cette eau. Tu sais combien je déteste l'eau, et tu m'as quand même obligée à venir, fait Karine.

Elle croise les bras sur sa poitrine et tente d'arrêter les tremblements à l'intérieur de son corps.

— Eh bien... si tu es certaine d'aller mieux maintenant, dit Stéphane en reculant d'un pas, je vais descendre car nous allons bientôt accoster. On se reverra sur l'île, précise-t-il en souriant, avant de s'éloigner.

Karine soupire et ferme les yeux.

— Karine, fait sa mère à voix basse. Chérie, je suis désolée. Je croyais qu'il serait bon que tu prennes des vacances, que tu te fasses de nouveaux amis. Je pensais... je pensais que ça t'aiderait à oublier...

Oublier? Comment pourra-t-elle jamais oublier? Dès qu'elle voit de l'eau, ça lui revient. Toujours ce même cauchemar. Dès qu'elle se regarde dans un miroir, elle revoit son père, *ses* yeux noirs, *ses* cheveux noirs... *son* nez... *sa* joue... *son* teint olivâtre... comment peut-elle l'oublier si lui ne le veut pas?

— Chérie, soupire sa mère, en lui caressant les cheveux, si tu détestes cet endroit à ce point, tu peux peut-être appeler Josée et repartir.

— Mais non, marmonne Karine. Allons plutôt chercher nos bagages.

— Je pourrai toujours essayer d'impressionner les enfants d'Éric, fait-elle pour blaguer. Après tout, ils ne m'ont jamais rencontrée. Comment s'appellent-ils déjà?

— Il y a Élisa... et puis les garçons... Julien et Pascal. C'est une idée d'Élisa ces vacances. Son père l'adore. Il ne cesse de parler d'elle et de Julien,

12

aussi.

— Et Pascal?

Sa mère hésite.

— Je ne sais pas... Éric n'en parle presque jamais. J'ai l'impression qu'il le connaît moins que les deux autres. Mais je peux me tromper!

— Un enfant difficile, fait Karine.

— Peut-être, répond sa mère, songeuse. Pascal est l'aîné et la mort de sa mère a été plus difficile pour lui. Attention! Nous allons toucher terre!

Karine embrasse d'un coup d'oeil le port et ses petites boutiques. Puis elle aperçoit Éric qui se fraie un chemin jusqu'à elles.

Karine lui fait signe de la main. Son geste se fige en voyant l'expression qu'affiche le visage d'Éric.

— Marjorie, lance-t-il... puis sa voix se brise.

Il les serre très fort dans ses bras.

— Marjorie, c'est Élisa... Ma fille a disparu.

Chapitre 2

— Quoi? demande avec peine la mère de Karine.

— Les garçons sont partis avec l'équipe de recherche. J'ai bien essayé de te rejoindre, mais...

— Nous nous sommes arrêtées en route chez mes parents, dit la mère de Karine, les yeux dans le vague. Je ne pouvais pas savoir.

— Il faut que j'aille les rejoindre, prévient Éric en écartant les bras. Venez, je vous raconterai sur le chemin de la maison.

Il les conduit à une jeep et jette leurs bagages à l'arrière. Karine grimpe par-dessus les valises.

— C'est arrivé il y a trois jours, explique Éric en démarrant... j'aurais dû la surveiller de plus près. Elle n'a que treize ans après tout. Je ne peux pas croire qu'elle...

— Ne dis rien, dit doucement la mère de Karine. Ne pense pas à ça.

— Ils ont trouvé ses sandales et une serviette de plage couverte de sang...

Karine se sent mal.

— Élisa est une excellente nageuse, tout comme ses frères. Elle connaît très bien l'île et ne prendrait aucun risque.

— Tu ne penses pas qu'elle... eh bien, qu'elle

aurait pu faire une fugue?

— Elle devait sortir ce soir-là, dit Éric, avec un garçon qu'elle aime bien, Stéphane Durocher.

— Stéphane... murmure Karine pour elle-même.

— Le traversier ne quitte l'île que deux fois par jour, le dernier voyage est à seize heures. Élisa était bien ici. Elle est venue me parler dans mon bureau, et j'ai justement jeté un coup d'oeil à l'horloge.

— Elle a peut-être pris un bateau privé? tente la mère de Karine.

— Ils ont déjà vérifié. Élisa n'avait aucune raison de partir : elle était heureuse.

Stéphane Durocher! C'est bien le nom du garçon qui lui a parlé sur le bateau. Mais était-ce vraiment lui? Il n'avait pourtant pas l'air particulièrement remué par la disparition d'Élisa. Avant qu'elle n'ait le temps de trouver une réponse, la jeep tourne dans une entrée près d'un petit chalet.

La porte s'ouvre aussitôt.

— Papa?

— Julien... y a-t-il des...

Le signe de tête négatif de Julien arrête Éric dans sa lancée.

— Rien. Ils fouillent toujours les falaises, précise Julien en regardant Karine et sa mère debout près de l'auto.

— Julien, murmure Éric, je te présente Marjorie et Karine. Voici mon fils Julien.

— Vous avez l'air transis. Venez à l'intérieur, dit ce dernier d'une voix douce.

Julien est plus grand que Karine. Ses cheveux bruns soyeux lui arrivent aux épaules; il a de grands yeux bruns et un air de petit garçon même s'il a le même âge qu'elle.

Elle hésite un peu avant d'entrer.

— Je suis... vraiment désolée, articule-t-elle avec peine.

Les yeux de Julien rencontrent les siens, l'espace d'un court instant.

— C'est bon de vous avoir ici.

Karine entre alors dans le salon. Sur le manteau du foyer, une photo de famille : Éric, Julien, un autre garçon caché dans l'ombre et, suppose Karine, Élisa, une jolie fille aux longs cheveux, une écharpe rouge autour du cou.

— Je vais te montrer ta chambre, dit Julien. Nous habitons dans un petit chalet juste à côté pour que papa puisse travailler tranquille.

Julien prend la valise de Karine et l'invite à le suivre. Ils traversent un petit parterre.

— J'imagine que Pascal va bientôt rentrer maintenant qu'il fait noir. Voici ta chambre, précise-t-il après avoir fait de la lumière. Tu peux prendre le lit de droite.

Le coeur de Karine ne fait qu'un tour. Tout dans la chambre rappelle Élisa : les vêtements dans la penderie, les chaussures sous une chaise. Karine avale sa salive avec difficulté.

— Je ne pense pas pouvoir rester ici.

— Élisa avait vraiment hâte de te rencontrer.

Karine voit alors sur son oreiller une enveloppe à son nom.

— Qu'est-ce que c'est? demande-t-elle doucement.

Julien sourit tristement.

— Qui sait... Élisa avait toujours plein de surprises pour tout le monde.

Karine saisit l'enveloppe et l'ouvre. Elle ne peut

détacher ses yeux du message :

Bienvenue à toi, Karine! Très heureuse que tu sois ici!

Amitiés, Élisa

— Elle ne me connaissait même pas. Oh, Julien! Je ne peux pas croire à tout ça...

— Je ne peux pas y croire non plus, fait Julien en secouant la tête. Je m'attends toujours à la voir entrer...

— Veux-tu qu'on en parle? demande Karine en s'assoyant sur le lit.

— Il n'y a pas grand-chose à dire, soupire-t-il. Je n'ai pas vu ma sœur ce jour-là, mais Pascal l'a vue vers quinze heures trente. Elle devait rencontrer un de mes amis le soir...

Stéphane Durocher...

— Êtes-vous sauveteurs tous les deux, toi et Pascal?

— Oui, et mon ami Stéphane aussi. Il y a deux plages dans l'île, la plage ouest, qui est juste en bas de la colline, et la plage est, de l'autre côté de l'île. C'est une plage privée. Entre les deux, il n'y a que rochers et falaises.

— Qui va à la plage privée? demande Karine.

— Les gens qui vivent là ne s'y baignent pas vraiment puisqu'ils ont tous des piscines, mais ils veulent un sauveteur pour plus de sécurité.

— Où travailles-tu?

— Nous changeons régulièrement de plage parce qu'il n'y a pas beaucoup à faire sur la plage est.

Julien traverse la chambre et regarde par la porte-fenêtre.

— Trois sauveteurs... et aucun n'a pu aider Élisa...

17

Karine reste silencieuse, retournant machinalement la note dans sa main.

— Ils ont trouvé ses affaires à la falaise, poursuit Julien. Elle aimait beaucoup marcher et réfléchir. Elle nous revenait toujours avec une histoire... elle voulait devenir écrivaine. On se demandait toujours si elle disait la vérité ou si c'était le fruit de son imagination.

Karine a la gorge serrée.

— Pourquoi est-elle allée à la petite crique alors qu'elle savait que c'est dangereux? On pense qu'elle est tombée et qu'elle était trop blessée pour avoir une chance de s'en sortir. La crique est...

Julien s'arrête net en entendant un crissement de pneus vite suivi d'une portière qui claque.

— C'est Pascal...

Karine suit lentement Julien qui dévale l'escalier. Elle entend une voix rude et autoritaire répondre aux questions de Julien.

— Ils ont arrêté les recherches jusqu'à demain, Julien. C'est tout ce que je sais.

— Mais il va faire froid cette nuit...

— Julien, pourquoi t'acharnes-tu à penser qu'elle est vivante? Tu sais aussi bien que moi qu'elle est morte.

Karine reste figée sur place près de la cuisine où sont les deux garçons. Le silence devient soudain suffocant. La voix grave reprend en soupirant.

— Tu sais bien comment sont ces grottes. La marée monte comme une véritable inondation. Si elle n'a pas été écrasée contre les rochers, elle a dû être emportée par le flot.

— Je n'abandonne pas encore.

— D'accord, continue la voix. Où est papa?

— Avec Marjorie.

— Oh, non! Elles sont arrivées?

Karine discerne un certain dégoût dans la voix de Pascal. Elle se plaque contre le mur. Jamais elle n'a senti tant de froideur chez un être humain; une peur inexplicable s'empare d'elle. Éric et sa mère arrivent sur ces entrefaites et Karine les suit dans la cuisine.

Pascal est plus grand que son frère, très mince et très bronzé. Dans le coin de la pièce où il se trouve, on dirait une ombre. Il boit son café calmement, tout en observant Karine par-dessus sa tasse. Elle sent ses yeux sombres et froids la surveiller, l'inspecter, tel un chat avec sa proie. Elle se rapproche un peu de Julien tout en observant la tignasse épaisse et foncée de Pascal, la ligne dure de ses mâchoires, ses pommettes hautes et ses fortes épaules.

— Nous devons faire quelque chose, s'écrie Éric en pressant ses poings sur ses yeux.

— Il n'y a plus rien à faire, dit Pascal. Tout le monde a été interrogé. Personne ne sait rien.

— Non, répond Éric. Je ne peux accepter ça.

Pascal s'éclaircit la voix.

— Papa... je pense qu'il faut que tu te résignes.

Monsieur Cormier le regarde.

— Est-ce que Sébastien se rappelle quelque chose? demande-t-il.

— Non, répond Pascal. Je pense qu'on ne peut pas vraiment se fier à lui.

— Il dit qu'il est venu chercher Élisa à dix-huit heures et qu'elle n'était pas ici, fait Julien.

— Mais j'étais juste à côté, reprend Éric. Pourquoi ne m'a-t-il rien dit?

— Mais il l'a fait, papa. Il a dit avoir crié, mais il

n'entendait que le bruit de ta machine à écrire. Il n'a pas voulu t'interrompre.

— Oui, c'est vrai... admet monsieur Cormier. Quand je travaille, je n'entends rien.

Pascal s'éloigne lentement du comptoir.

— Pourquoi ne vas-tu pas dormir? suggère-t-il à son père. S'il y a quelque chose, nous te réveillerons.

—Oui, fait Éric, l'air absent. Je pense que tu n'as pas encore rencontré Marjorie et Karine.

Pascal murmure quelque chose d'inintelligible. Karine retourne à l'étage. La seule lumière vient de la chambre d'Élisa. Karine hésite sur le pas de la porte. Réprimant un frisson, elle va suspendre ses vêtements dans la penderie. Un bout de papier tombe du cintre. Un sourire amusé se dessine sur les lèvres de Karine tandis qu'elle lit le court message :

Karine,
   Nous allons être de grandes amies!
Amitiés, Élisa

«C'est vraiment spécial, pense Karine. Elle est si confiante... oui, confiante.»

Il fait froid; Karine essaie de fermer la fenêtre près de son lit. Sa boucle d'oreille s'accroche à sa manche puis roule sous le lit. En se penchant pour la ramasser, elle déplace l'oreiller et y découvre un autre bout de papier replié. Elle s'appuie sur ses coudes et le déplie, le sourire aux lèvres. Élisa devait vouloir qu'elle le trouve en se mettant au lit.

Le sourire de Karine se fige et ses mains se mettent à trembler.

Karine,
je pense que quelqu'un va me tuer.

Chapitre 3

C'est une blague. Il faut que c'en soit une.

Karine regarde la boulette de papier qu'elle a lancée sur la table de nuit et pense à ce que Julien lui a dit à propos des surprises qu'Élisa avait pour tout le monde. C'est une blague. Sauf qu'Élisa a disparu et que ça n'a rien de drôle. Karine sursaute au bruit d'une porte qui claque. Elle entend les pas de Julien et a tout juste le temps de cacher le message avant qu'il n'arrive.

— Je voulais te souhaiter bonne nuit, dit-il avec un léger sourire. Je serai en bas si tu as besoin de quoi que ce soit.

— Je te remercie, mais si tu as quelque chose à faire, ne t'en fais pas pour moi.

«Qu'aurait-il d'autre à faire qu'attendre», pense tristement Karine. Après son départ, elle reprend le petit message et le compare aux deux autres. Oui, c'est bien la même écriture, mais pas aussi claire — comme si le billet avait été écrit à la hâte.

«Que dois-je faire?» Tout le monde est convaincu que la disparition d'Élisa est un accident. Julien n'a-t-il pas dit qu'elle aimait aller rêver? Si elle leur montre la note maintenant, toute une autre gamme d'affreuses possibilités s'offre à eux. Et pourquoi?

Pour une fantaisie d'Élisa écrite sur un bout de papier... *La moitié du temps, on ne sait jamais si ce qu'elle dit est vrai ou non.* C'est juste une fantaisie. «Mais alors, pourquoi m'a-t-elle adressé cette note?»

Soudain, Karine a une idée. Elle va appeler Josée. Son amie saura quoi faire.

Elle range la note dans la poche de sa robe de chambre et sort de sa chambre. En bas, on entend le son de la télé et le bruit de portes d'armoire de cuisine qui s'ouvrent et se referment; Julien est occupé pour un moment. Elle voudrait aller lui demander où se trouve le téléphone, mais elle ne peut risquer qu'il soit dans la même pièce qu'elle et qu'il entende la conversation.

Karine inspecte l'étage où elle se trouve sans succès. Elle décide alors de prendre une douche quand la sonnerie du téléphone retentit en bas. Au moins, elle sait qu'il y a un appareil dans la maison. Si seulement elle peut réussir à s'en servir sans que personne ne le sache...

Quand Karine sort de la salle de bains, le silence et l'obscurité règnent.

«Étrange... je jurerais avoir laissé la lumière de la chambre allumée...» pense-t-elle.

Elle avance à tâtons, cherchant le commutateur. S'il fallait que Julien soit parti... et cette note qui est toujours dans sa robe de chambre.

«Élisa est peut-être revenue.»

Élisa est peut-être même couchée dans son lit...

— Ouf! s'exclame Karine en se lançant sur un lit et en allumant la lampe de chevet.

La chambre est la même. Elle est seule.

Avec un soupir de soulagement, elle se glisse sous

les couvertures et éteint la lumière. Ses paupières sont lourdes de sommeil. Un doux murmure la berce... comme le ressac... le gémissement de la mer...

— *Ne te défends pas, dit la voix... Non... ce sera plus facile si tu restes calme...*

Mais le grondement revient comme il le fait toujours, ce son indistinct et ce cri lointain. Elle lutte de toutes ses forces... remplissant ses poumons d'air et redoutant la seconde où ses forces la lâcheront et où l'eau s'engouffrera en elle, noire et insidieuse, sans fin...

La voix s'estompe et elle voit une figure dans l'eau, des yeux qui la regardent...

— *Papa! Au secours! S'il vous plaît, quelqu'un, aidez-moi!*

Karine se retrouve debout à côté de son lit. Elle ne se rappelle pas en être descendue. Elle frissonne.

En sanglots, les mains à plat sur les vitres de la porte-fenêtre, elle voit des yeux noirs la dévisager de l'autre côté.

Karine n'est plus trop certaine de la suite. Des cris, des pas, des claquements de porte et une voix furieuse alors que la porte-fenêtre s'ouvre.

— Qu'est-ce qui se passe ici?

Puis une autre voix, plus douce.

— Je pense qu'elle a eu un cauchemar. Tu n'aurais pas dû lui faire peur comme ça.

— Lui faire peur! Élisa est morte on ne sait où, il est deux heures du matin, j'entends des hurlements et je devrais m'arrêter et faire attention de n'effrayer personne!

— Mais tu savais que j'étais ici!

— Sans aucune lumière? Je pensais qu'il n'y avait personne!

— Tu aurais dû avoir ta clé, reprend la voix tranquille.

— Tu aurais dû laisser une porte ouverte.

Les voix, la chambre, la lumière, Karine replace tout en ordre. Julien passe son bras autour de ses épaules et Pascal est debout sur le pas de la porte-fenêtre. Il lui jette un regard rempli de haine.

— Oh, je pensais... dit Karine en baissant les yeux.

— Ça va, il essayait d'entrer. Il a oublié ses clés et notre chambre ouvre sur un balcon comme celui-ci, fait Julien en la serrant contre lui. Tu dois avoir fait un cauchemar. Vas-tu pouvoir te rendormir?

— Oui, probablement. Je suis vraiment désolée.

— Ne t'en fais pas. Essaie de te reposer, d'accord?

Pascal referme la porte et suit son frère. Karine n'arrive à retrouver le sommeil que longtemps après que les voix se sont tues.

Aux premières lueurs du jour, elle enfile un short et un t-shirt et s'en va vers la plage déserte. Elle marche jusqu'au bord de l'eau et regarde les vagues. Elle n'a plus nagé depuis l'accident. Une haine froide a remplacé son amour de l'eau.

Une chaise de sauveteur s'élève tel un grand squelette dans le petit jour. Karine se repose un moment, la tête appuyée contre la tour de bois. Étrange qu'il n'y ait personne d'autre... elle sent pourtant la présence de quelqu'un.

Réprimant un frisson, Karine se hâte. Le soleil est haut dans le ciel. Un mur de pierre cache l'horizon. Karine continue d'avancer vers cet amas de rochers en s'éloignant de la plage. Elle s'arrête, ne sachant quel chemin prendre. Soudain, elle se retourne.

Quelqu'un la suit, elle en est certaine. Mais elle ne voit personne.

Une main en visière, elle fouille les rochers des yeux, puis s'approche d'un pic qui semble s'en détacher et sourit.

«Un phare!»

Dans la lumière crue du soleil, la grosse tour vient briser le paysage. Karine cherche le chemin pour y accéder. C'est un étroit sentier qui contourne un rocher. Une haute barrière métallique en interdit habituellement l'entrée, mais la porte est entrouverte; la chaîne et le cadenas sont défaits. Karine prend une grande inspiration avant de se glisser par l'ouverture.

Après plusieurs détours, rampant le long des rochers, elle se retrouve en face du phare, fouettée par le vent.

La construction ressemble à une pierre tombale géante.

L'excitation de Karine tourne vite au désenchantement. Les murs sont ternes et recouverts de mousse; il ne reste que le cadre des fenêtres et quelques barreaux à la plate-forme. «Il ne doit probablement plus y avoir de plancher... ou d'escalier... que des fantômes...», pense-t-elle.

Se secouant un peu, Karine se dirige vers l'entrée. Tout semble être à l'abandon. Un petit coup sur la porte suffit pour qu'elle s'ouvre avec un grincement sinistre. De l'autre coté, Karine avance dans la poussière et le sable. Des toiles d'araignée se collent à sa figure.

Un rire se fait entendre. Un rire aigu qui vient des profondeurs du phare. Il se répercute sans fin contre les murs.

Chapitre 4

Prise de panique, Karine sort en trombe, referme la porte et court sur le sentier. Le vent l'oblige à ralentir et elle se retourne.

Un homme la suit; il est juste derrière elle.

Karine fait un bond en arrière en criant, les yeux rivés sur cette apparition fantomatique. L'homme ressemble à un grand squelette. Des vêtements mal ajustés flottent autour de lui et un chapeau rongé par les mites lui tombe sur les yeux. Il a l'apparence d'un pêcheur, mais c'est sa figure, burinée par le vent et le soleil, qui la repousse le plus. La peau cuivrée est couverte de points noirs. Un bandeau noir tout sale lui cache l'oeil droit et le gauche, étroit et bridé, est larmoyant et teinté de jaune.

Karine s'apprête à courir.

— Que fais-tu ici, jeune fille? Hummm? fait la voix cassée.

Karine avale sa salive avec difficulté et jette un regard au sentier.

— Es-tu une touriste?

L'oeil la dévisage.

— Tu es venue pour nager ou pour mourir? poursuit-il sans se préoccuper de la frayeur de Karine. Des choses étranges arrivent aux filles qui nagent par ici. En as-tu entendu parler? Hummm? demande-t-il en faisant un pas vers Karine qui est paralysée de peur. Tu penses que je vais te faire mal? Isaac ne fait de mal à personne, explique-t-il en s'accroupissant sur le sol. Je reste ici. Je ne veux pas te courir après.

La curiosité prend le dessus chez Karine. Si seulement il ne la regardait pas avec cet oeil...

— Alors, tu es venue nager? insiste-t-il.

— Je n'aime pas nager, répond Karine en bougeant à peine les lèvres.

— Non? fait-il, curieux. Mais dis-moi, je ne t'ai pas encore vue par ici. Tu es donc une touriste. Et d'habitude, les touristes viennent pour se baigner.

— Je n'aime pas nager, reprend Karine. Je n'aime pas l'eau.

Le vieil homme se tape la cuisse et éclate de rire. Un rire gras qui le fait baver.

— Tu es vraiment drôle! Tu viens à la plage et tu n'aimes pas nager. Tu viens dans une île et tu n'aimes pas l'eau! Que vas-tu faire?

Il la regarde attentivement de haut en bas.

— Tu es sage de ne pas nager. Tu vas peut-être rester vivante.

Un frisson parcourt le dos de Karine alors qu'elle tâte le sentier du pied.

— Mais je t'ai vue avant. Tu es descendue du bateau hier.

Karine n'aurait jamais pu oublier une telle figure. Il la regarde et elle est certaine qu'il rit d'elle.

— Tu ne m'as pas vu, mais moi, je t'ai vue, fait-il en secouant sa tête grisonnante. Isaac voit beaucoup de choses.

— Que voulez-vous dire? demande Karine en reculant.

Il met le doigt sur sa lèvre.

— Tu n'as jamais entendu parler du neuvième jour?

Karine secoue la tête.

— Quand une personne se noie, son corps remonte à la surface le neuvième jour. Mais ce corps ne peut pas flotter.

Karine le regarde, incapable de bouger.

— Je ne sais pas ce que vous voulez dire. Vous voulez m'effrayer...

— Moi? Faire peur à une jolie jeune fille comme toi? Isaac dit la vérité; écoute le vieux Isaac.

— Je devrais vous dénoncer!

— Me dénoncer? reprend le vieil homme, moqueur. Maintenant, je sais ce qui ne va pas!

— À quel propos?

— Je pensais que tu étais intelligente, que tu voulais entendre la vérité.

— Vous avez essayé de me faire peur tout à l'heure et ce n'était pas drôle.

— Tu as raison; ce n'était pas drôle, dit-il, soudain sérieux. Ce n'était pas drôle et ce n'était pas moi.

Le vent tourbillonne autour du phare; Karine a froid.

— Que voulez-vous dire, ce n'était pas vous? Je vous ai entendu! Vous me guettiez!

Il l'observe quelques instants; il semble être ailleurs. À la fin, ses lèvres esquissent un sourire.

— Ne crois pas tout ce que tu vois. Les gens ne sont pas toujours ce qu'ils paraissent être.

Karine se retourne et commence à marcher, consciente du vieux qui vient de se lever derrière elle.

— Rappelle-toi ce que je t'ai dit! crie-t-il. Il y a un démon autour de toi! Il t'aura quand il le voudra!

Elle l'entend maintenant courir. Effrayée, elle s'éloigne du sentier. Elle descend une pente à pic aussi vite qu'elle le peut, priant pour trouver une prise. Un sifflement se fait entendre au-dessus d'elle.

C'est le vieil homme qui la regarde du bord de la falaise, le visage grimaçant et à moitié caché par le bandeau.

Haletante, Karine s'accroche à ce qu'elle peut. Soudain, elle pose le pied sur une roche mobile et elle se tord le pied, ce qui lui fait perdre l'équilibre. Elle tente de s'agripper à des broussailles, mais elle glisse dangereusement vers la mer.

Elle voudrait crier, mais aucun son ne sort. Tout se passe si vite. Elle a le réflexe de se ramasser en boule en vue du point d'impact, l'eau froide... Des mots résonnent dans sa tête : *Quand il te voudra, il t'aura... il t'aura...*

— Je t'ai attrapée! fait une voix à son oreille, tandis qu'elle sent un bras fort qui la retient. Qu'est-ce que tu fais ici?

Karine ouvre grand les yeux. La figure de Pascal est à quelques centimètres de la sienne, son corps tendu sous le sien.

— Je... le vieil homme me poursuivait, halète Karine.

Les bras de Pascal sont aussi durs que de l'acier. D'un geste, il la remet debout.

— J'ai glissé... cet homme...

— Sais-tu que tu aurais pu te *tuer!* Personne ne grimpe jamais sur ces rochers. *Personne!* Il n'y aurait pas eu âme qui vive pour t'aider!

— Mais... tu étais là!

Pascal a de la peine à se contrôler.

— On ne sait jamais ce qui peut arriver. Tu aurais pu te briser sur ces rochers. Sans parler de la noyade ou des requins.

— Les requins! Mais l'eau est si peu profonde.

— Comment peux-tu le savoir? Y es-tu allée?

— Non, je pensais...

— Tu pensais, dit-il en lui lançant un regard noir. Les requins ont besoin d'aussi peu que un mètre d'eau pour venir te dépecer.

Karine est rouge de honte.

— Mais l'homme me poursuivait... continue-t-elle en pointant le phare.

— Tu es allée là-haut? Tu étais dans le *phare*? fait Pascal, incrédule. Comment as-tu pu te rendre là-bas?

— Par le sentier.

— Tu ne sais pas lire?

— Lire quoi?

La rage de Pascal lui fait peur; elle est sur la défensive.

— Je ne sais pas de quoi tu parles, ajoute-t-elle alors qu'il la pousse devant lui.

Ils atteignent le chemin et il la jette contre la clôture.

— Lis ça! commande-t-il.

Karine en perd le souffle. La porte est fermée par un cadenas et un grand écriteau visible à plus d'un demi-kilomètre y est accroché : CHEMIN PRIVÉ DANGER DÉFENSE DE PASSER.

— Je... je... ce n'était pas là tantôt.

— L'écriteau est toujours là depuis le début de l'été. Il y était l'été dernier aussi.

— Je sais ce que je dis! Pense ce que tu veux, mais

il n'y avait rien tout à l'heure! Je le jure! Quelqu'un doit l'avoir...

— Quoi?

— Changé de place, finit-elle. Ceci a l'air stupide, mais...

— Tu as raison. C'est stupide.

— Et le vieil homme? C'est peut-être lui qui a caché l'écriteau?

— Quel homme? soupire Pascal.

— Ne me dis pas que je l'invente lui aussi, fait Karine en pointant le phare du menton. Il était caché là-haut et a essayé de me faire peur avec son oeil de pirate.

— Oh! dit Pascal en haussant les épaules. C'est Isaac. Il devait cuver son vin, comme d'habitude. J'espère que tu as eu assez peur pour que ça te mette un peu de plomb dans la tête.

— Ne me parle pas comme ça.

Pascal s'approche de la barrière et prend la chaîne dans ses mains.

— Tu vois ça? Seuls les sauveteurs ont la clé du cadenas. On met ça pour éloigner les curieuses comme toi.

Il prend un gros trousseau de clés et le fait tinter devant son nez.

— Ce n'était pas fermé, marmonne Karine. Je ne peux pas avoir imaginé tout ça.

— D'accord, c'est un mirage. Ou tu as peut-être passé au travers, comme par magie, fait Pascal en la dévisageant. Un muscle tressaute sur sa mâchoire.

— Viens avec moi.

Karine tente de s'éloigner de lui mais il la rattrape par le bras et l'oblige à contourner la falaise. Ils atteignent bientôt une petite plage isolée, tout entourée de rochers. Karine regarde les rochers qui font saillie hors de l'eau. Le vent hurle en s'engouffrant et bat l'eau. Tout est noir comme la mort.

L'estomac de Karine se révulse, comme si elle sentait un danger imminent. L'eau est trop près, trop sauvage. Et ces bateaux qui se balancent de haut en bas... de haut en bas...

— Que font-ils si près des rochers? demande Karine. Tu devrais les avertir?

Pascal la regarde.

— Ils cherchent Élisa. C'est sur ce rebord qu'ils ont trouvé des choses lui appartenant.

Karine ne veut pas regarder, mais ses yeux sont attirés par le doigt de Pascal. Le rebord est facile d'accès et entouré d'eau peu profonde.

— Ce n'est pas profond pour l'instant, mais dès que la marée monte... le courant peut te lancer contre les rochers, explique Pascal.

— Je n'aime pas cet endroit, fait Karine avec autorité. Je m'en vais.

— Vas-y. Ce n'est pas très intéressant de penser à ce qui peut t'arriver si tu restes ici.

Karine tourne les talons et s'oblige à ne pas courir. Pascal a fait exprès de l'entraîner à cet endroit. Que voulait-il prouver? Il n'a pas l'air de prendre la mort de sa soeur au tragique. Quant à elle, il la déteste, c'est évident. Elle se demande si quelque chose peut toucher ce garçon au coeur de pierre. Impossible de savoir si Pascal la suit; elle s'empresse donc de rentrer. C'est avec soulagement qu'elle entend des cris et des rires. Elle reprend son souffle avec la ferme intention de rester le plus loin possible du chemin de Pascal...

— Attention!

Un chien arrive d'on ne sait où et au moment où il met ses grosses pattes sur les épaules de Karine, cette dernière entend crier.

— Dominique, tu connais le règlement! Pas de chiens sur la plage!

— Je connais les règlements, Pascal Cormier! Il a cassé sa chaîne! Que veux-tu que je fasse?

— Eh, ça va... il ne te fera pas de mal!

Trois personnes s'empressent vers Karine qui réussit enfin à calmer le chien.

— Je suis désolée. J'espère que Paco ne t'a pas fait peur. Oh! c'est toi, Karine? Je suis Dominique Rollin. J'ai entendu dire que tu étais en visite.

La fille blonde s'arrête un instant pour rappeler son chien à l'ordre et serre vigoureusement la main que lui tend Karine. Son sourire se communique vite à Karine, mais avant que celle-ci ne la rassure, Dominique continue :

— Stéphane m'a dit qu'il t'avait rencontrée. Nous sommes presque voisines. Certains voisins sont assurément plus sociables que d'autres, conclut-elle en regardant Pascal.

Karine regarde Stéphane et son sourire s'élargit encore.

— Salut!

— Tu pourrais être en meilleure compagnie, fait-il. Est-ce que tu t'amuses?

Karine a tout à fait oublié Pascal qui se tient derrière elle.

— Elle a l'air de penser qu'une mort n'est pas assez excitante.

— Mon Dieu, Pascal. Quelle terrible chose à dire.

Le regard de Pascal passe de Dominique à Stéphane.

— J'ai remarqué que Stéphane n'a pas l'air trop tourmenté.

— Ça suffit, Pascal, dit calmement Stéphane.

— Tu n'es pas juste, Pascal... commence Dominique.

— Laisse tomber, fait Stéphane. J'avais rendez-vous avec Élisa, mais nous n'avions pas l'intention de nous sauver. Je sais ce que tu penses de moi, Pascal. Je sais que tu ne m'aimes pas et je m'en fous. Mais si tu cherches un suspect, remarque que je ne suis pas en prison et que je n'ai même pas de menottes.

— Comme si ça faisait une différence. Ton père a acheté ta libération.

Stéphane fait un mouvement brusque, mais Dominique s'interpose entre les deux, les mains sur la poitrine de Stéphane.

— Arrêtez! Tu ne sais pas ce que tu dis, Pascal; n'importe qui réagirait comme toi! Nous sommes tous désolés, alors ne dis rien de plus. Toi non plus, Stéphane, reste tranquille!

Karine observe les yeux de Pascal, sa figure livide, et un frisson d'appréhension la traverse quand elle le voit reculer très lentement.

— Sors ton maudit chien de la plage, murmure-t-il.

Il s'éloigne et Stéphane met ses mains en porte-voix devant sa bouche.

— Elle peut faire ce qu'elle veut tant que je suis là. La plage est à moi!

Chapitre 5

— Ce n'est pas la meilleure façon de se présenter, soupire Dominique. Je m'excuse pour tout ce grabuge.

— Ce n'est pas ta faute, répond Karine avec un sourire timide. Je pense que je commence à m'habituer à lui.

Elles se regardent toutes les deux et éclatent de rire. Stéphane jette un coup d'oeil à sa montre.

— Je dois me dépêcher, je suis de garde.

Il ajuste sa casquette de baseball et les salue.

— Mesdames... j'espère que nous aurons le plaisir de nous revoir.

— Si tu as beaucoup de chance, lui lance Dominique alors qu'il court sur la plage.

— Alors, fait Dominique, qu'est-ce que tu dirais d'un petit déjeuner? Je connais un endroit où les brioches à la cannelle sont super.

— Eh bien... je ne sais pas trop. Personne ne sait que je suis partie de la maison...

— Je comprends, fait Dominique, avec sympathie. Ça doit être affreux pour toi d'arriver au milieu de toute cette histoire.

— Pour être franche, je n'ai pas vraiment envie de retourner au chalet. Je pense que Pascal déteste nous y voir.

— Pascal est comme ça pour tout, fait Dominique en sifflant son chien. Il n'est pas très populaire.

— Qu'y a-t-il entre lui et Stéphane? demande Karine en suivant Dominique.

— Je ne le sais pas. Stéphane devait rencontrer Élisa le soir de sa disparition et Pascal doit s'être mis en tête que Stéphane peut éclaircir le mystère.

Les deux jeunes filles s'éloignent de la plage et se fraient un chemin entre les arbres jusqu'à une vieille maison qui tient lieu de restaurant.

— La partie la plus vivante de la plage est au-delà de votre chalet. Il n'y a pas beaucoup de touristes qui viennent par ici.

Dominique pénètre dans le restaurant avec Karine après avoir attaché Paco près de l'entrée. Karine regarde par la fenêtre.

— Tu n'as pas peur de le laisser là?

— Rien ne se passe sur cette île; c'en est presque ennuyant! Il y a bien quelques personnalités, comme Éric. Des peintres et des gens qui louent un chalet pour l'été. Les autres ne viennent que pour la journée.

— Comment se fait-il qu'Éric ne soit pas envahi par les médias? Les gens doivent savoir ce qui se passe.

— C'est là qu'intervient le père de Stéphane. Sa grand-mère était une Beverly. Ça te dit quelque chose?

— Beverly? répète Karine en haussant les épaules.

— Île Beverly.

— Oh! s'exclame Karine, en écarquillant les yeux. Le même Beverly?

— Oui, répond Dominique, satisfaite de son effet.

Je ne peux pas te dire laquelle de ses grands-mères, mais l'île appartient à sa famille depuis des générations.

— Alors Stéphane ne blague pas quand il dit que la plage lui appartient! Est-ce que c'est pour ça que Pascal ne l'aime pas?

— Soyons franches! Stéphane n'est pas très discret sur sa position ici. Son père a refusé l'accès de l'île aux journalistes. Il a de l'argent et du pouvoir.

Elles échangent quelques formules de politesse avec la serveuse qui vient prendre leur commande.

— Je pense que Pascal n'aimait pas que Stéphane tourne autour de sa soeur. Elle avait le béguin pour lui.

— Pascal n'est peut-être qu'un grand frère surprotecteur, suggère Karine.

Dominique secoue la tête.

— Depuis que leur mère est décédée, ils passent toute l'année en pension dans des collèges et l'été, dans des camps de vacances ou chez des amis. Éric n'a pas beaucoup de temps à leur consacrer. C'est Stéphane qui m'a raconté tout ça.

— Comment le sait-il?

— Il a été en pension avec Julien ces dernières années. Ce sont les meilleurs amis du monde.

— Pascal est peut-être jaloux?

Dominique hausse les épaules et prend une pâtisserie.

— Il n'était pas dans le même collège. Stéphane ne savait même pas que Julien avait un frère. Julien n'en avait jamais parlé.

— C'est bizarre...

— Oui, surtout qu'ils n'ont qu'une année de différence.

37

Karine déguste sa brioche en essayant de comprendre.

— Peut-être qu'ils ne s'entendent pas et qu'Éric a dû les séparer, finit-elle par dire.

— C'est étrange, mais je n'ai jamais entendu personne dire quoi que ce soit de Pascal. Ou alors il y a quelque chose de terrible : un énorme secret.

Les deux filles continuent de manger en silence.

— Tu as sans doute raison. Les deux frères ne s'entendent pas; ça saute aux yeux. Autant Pascal est désagréable, autant Julien est gentil. Toutes les filles tournent autour des sauveteurs, ce qui rend Julien mal à l'aise. Il n'est pas comme Stéphane, ajoute-t-elle en rougissant.

— Stéphane est-il ton petit ami?

— Nous avons grandi ensemble. Pourtant, je pense que Stéphane sait à peine que j'existe.

— Tu devrais sortir avec Pascal, Stéphane te remarquerait sûrement.

Dominique pouffe de rire.

— Pascal me donne la chair de poule. L'an dernier, quand il est arrivé dans l'île, Julien ne savait même pas qu'il venait.

— Julien était ici?

— Oui, lui et Stéphane sont sauveteurs depuis quelques années. Pascal restait quelque part tout seul. Nous ne l'avons vu qu'après la noyade.

— Une noyade? fait Karine, en frissonnant.

— Oui, c'était bien triste, continue Dominique à voix basse. Roxane était une de nos amies. Elle était sauveteur elle aussi et elle s'est noyée en tentant de sauver quelqu'un.

Karine fixe la table d'un regard absent.

— Comme c'est horrible, dit-elle après quelques

instants. Est-ce que l'autre personne s'est noyée elle aussi?

Dominique ne répond pas tout de suite. Elle semble réfléchir à quelque chose.

— C'est ce qui est étrange, finit-elle lentement. Il y a un téléphone à chaque poste de garde. Quand il y a une urgence, les sauveteurs doivent décrocher l'appareil. C'est un signal pour les autres postes de garde et l'équipe de soin.

— Et... personne n'est venu?

— Oh, oui! Mais quand Julien et Stéphane sont arrivés, elle était déjà morte. Et il n'y avait personne d'autre dans l'eau.

— Quoi?

— Je veux dire que personne n'a été retrouvé, et on n'a rapporté aucune disparition. Roxane était toute seule.

Karine avale une gorgée de café pour se réchauffer. Elle a soudain très froid.

— La plage devait fermer quelques minutes plus tard et il n'y avait pas grand monde, soupire Dominique. Seuls quelques enfants qui rentraient chez eux.

— Ils ont sûrement vu quelque chose.

— Ils ont dit avoir entendu quelqu'un crier au secours et on a l'impression qu'une personne se démenait dans l'eau, comme si elle avait des problèmes.

Karine ferme les yeux. C'en est trop.

— C'est alors que Pascal est devenu sauveteur... pour remplacer Roxane. Je ne peux pas croire que j'avais déjà oublié tout ça, ajoute Dominique en secouant la tête. C'était à peu près à la même époque, l'été dernier.

Chapitre 6

— Maman!

Karine est soulagée d'entendre une porte claquer et des pas dans l'escalier.

— Karine, où diable étais-tu? J'ai envoyé Julien te chercher, mais il devait aller travailler...

— Ça va. Je suis allée faire une promenade. A-t-on des nouvelles?

Sa mère secoue la tête.

— Non, chérie, rien. Je prends un café. Tu veux m'accompagner?

Karine se verse un café et essaie de mettre de l'ordre dans ses idées.

— Te rappelles-tu le garçon du bateau hier? Je l'ai vu sur la plage ce matin. J'ai aussi rencontré Dominique; c'est une amie de Stéphane et de Julien. Nous avons déjeuné ensemble toutes les deux.

— C'est bien, répond sa mère, distraite. Karine, ils parlent d'abandonner les recherches aujourd'hui. Ils sont convaincus qu'Élisa est tombée à l'eau et qu'elle s'est noyée. On n'a plus d'espoir de la retrouver vivante.

— Oh, maman...

— Éric aimerait que je reste avec lui.

— Je comprends.

— Mais si tu veux aller rejoindre ton amie Josée...

— Maman, je ne peux pas partir maintenant, dit Karine d'une voix vive. Je ne me sentirais pas bien.

Sa mère soupire et la serre dans ses bras.

— Penses-tu pouvoir te débrouiller toute seule? Ce ne sont pas des vacances bien agréables pour toi.

— Ça va très bien. J'aimerais seulement pouvoir faire plus.

— Comme nous tous, ma chérie. Mais personne ne peut rien car personne ne sait rien. Ce n'est pas comme pour ton père, continue-t-elle à voix basse...

Karine sursaute en entendant la porte de la cuisine s'ouvrir. Elle est soulagée de voir arriver Julien.

— Ah, te voilà!

— Je suis désolée, Julien, dit la mère de Karine. Elle vient tout juste de rentrer; j'aurais dû te prévenir.

Elles se serrent un peu pour lui faire une place à table.

— Je dois repartir. Comment est papa?

— Il a fini par s'endormir, mais il m'a fait promettre de le réveiller aussitôt que l'équipe de recherche se mettra en branle.

— N'en faites rien, fait Julien en secouant la tête. Je vais y aller. Stéphane va me remplacer à la plage est.

— Que dois-je faire si quelqu'un appelle? Si quelqu'un apprend quelque chose?

— Je ne vois personne d'autre que les policiers qui puissent téléphoner et je serai avec eux. Notre numéro de téléphone n'est pas dans l'annuaire téléphonique. Le voici, continue-t-il en écrivant des chiffres sur une feuille qu'il détache d'un bloc-notes sur le comptoir. Voici. C'est le même numéro pour les deux chalets. Ça sonne aux deux endroits. Alors on peut répondre si papa n'entend rien avec sa machine à écrire, mais comme nous sommes habituellement à l'extérieur, papa manque tous ses appels.

Karine sourit et prend le papier des mains de Julien.

— Les recherches ne dureront plus très longtemps... soupire-t-il en se dirigeant vers la porte.

Karine a un noeud dans la gorge. Elle n'a pas le temps de dire un seul mot. Julien est déjà parti.

— Dominique doit venir me chercher pour me faire visiter l'île, murmure-t-elle.

Sa mère ne l'écoute pas. Karine en profite pour se glisser dehors. La figure au soleil, elle se remplit les poumons d'air frais.

— Veux-tu te faire bronzer la gorge? lance Dominique en riant.

— Oh, que je suis contente de te voir!

— Tu as besoin de t'évader, hein?

Dominique passe son bras sous celui de Karine et l'entraîne vers la plage.

— J'ai vu Julien de l'autre côté. Les choses n'ont pas l'air de s'améliorer.

Karine secoue la tête avec tristesse.

— C'est une honte de le voir si triste. Il est tellement gentil.

— Élisa était-elle une de tes amies?

— Pas vraiment; elle n'est arrivée que cet été. C'est bizarre, mais j'ai eu l'impression... qu'elle n'était pas... tu sais... trop vive.

— Sans blague?

— Oh, elle était très gentille. Toujours souriante. Toujours une petite gentillesse à dire. Un peu comme Julien, mais lente. Ses frères étaient très gentils avec elle.

— Même Pascal?

— Oui. Je ne l'ai jamais entendu dire une seule chose négative à sa soeur. Très patient... comme s'il savait que les choses ne lui étaient pas aussi faciles qu'aux autres.

Karine se sent triste.

— Elle devait être très spéciale; pas étonnant que sa disparition cause un si grand vide dans la famille.

Dominique observe les nuages comme si le passé s'y déroulait.

— Elle semblait beaucoup aimer ses deux frères, mais restait le plus souvent auprès de Julien. Même quand il travaillait, elle n'était pas très loin.

— Ça le dérangeait?

— Je n'en ai pas l'impression. C'est drôle : ils ont grandi éloignés les uns des autres et quand ils sont finalement ensemble, ils s'accordent bien.

— Ils étaient peut-être désolés pour elle, si elle était «lente», comme tu le dis, fait Karine en s'arrêtant pour enlever un caillou qui s'est glissé dans sa sandale.

— Peut-être, fait Dominique, songeuse. Ça rend le drame encore plus terrifiant. Elle, toute naïve et innocente... et personne pour la sauver.

Karine ferme les yeux et refoule ses souvenirs.

— Hé, ça va? lance Dominique en touchant le coude de Karine.

— Oui, oui. J'avais quelque chose dans l'oeil.

Karine a peine à reconnaître la plage qui est maintenant noire de monde.

— D'où viennent tous ces gens? demande-t-elle amusée.

— C'est la fin de l'été. Tout le monde en profite

avant que l'école ne recommence. La plage sera vide quand le bateau fera son dernier voyage en fin de journée.

— Qu'est-ce qui arrive à ce moment-là? La plage est fermée?

— Non, mais après dix-huit heures, tu te baignes à tes risques. Les sauveteurs ne peuvent quand même pas y être vingt-quatre heures sur vingt-quatre!

— Les insulaires n'utilisent jamais leur propre plage?

— Oui, mais pas tous. Tout le monde est averti du danger de se baigner après la tombée du jour. Et puis il n'y a plus beaucoup de jeunes dans l'île. Ils sont partis travailler sur le continent ou bien ils préfèrent des vacances plus exotiques.

— Et toi?

Dominique fait une petite grimace.

— Mes parents possèdent le restaurant le plus chic de Beverly. Tu penses que je fais la belle vie? Non! Ils croient aussi aux vertus du travail! Aujourd'hui c'est mon jour de congé. Demain ils partent tous les deux pour Londres et je serai serveuse et aide-cuisinière.

Karine fend la foule avec son amie. Elles vont dans la direction contraire de celle qu'elle a prise le matin. Les petits chalets au bord de la mer ont fait place à des boutiques, des salles de jeux et des marchés aux souvenirs. Flottant au-dessus de tout ce bric-à-brac, un mélange d'odeurs de friture et de coquillages. Rires et cris se mêlent au bruit des vagues, aux radios tonitruantes et aux exclamations des baigneurs. Un cri s'élève soudain :

— Vous êtes trop loin! Revenez près du rivage!

— Regarde, c'est Stéphane! crie Dominique en

s'arrêtant près de la chaise de bois.

— Eh, sauveteur! Comment est la température là-haut?

— Bonjour, mesdemoiselles! fait Stéphane. J'ai sauvé au moins... deux cents vies au cours de la dernière heure.

— Et brisé combien de coeurs? rétorque Dominique.

— Tu me prends par surprise, fait Stéphane interrogateur. Puis-je les blâmer de me courir après?

— Rêveur, va!

— Et où allez-vous comme ça, toutes les deux?

— Je l'emmène faire un tour de l'île.

— Magnifique. Tout ça va vous prendre dix fascinantes minutes. Tu comprends, bien entendu, continue-t-il en se penchant vers Karine, que le point culminant de la visite était de me voir. À partir de maintenant, tout est simplement...

— Pourri, termine Dominique. Ne l'écoute pas, Karine. C'est le plus bel exemple de ce que peut causer trop de soleil sur la tête.

— Est-ce une façon de parler à quelqu'un qui va peut-être un jour te sauver... Revenez ici, crie-t-il soudain en sifflant un grand coup.

— Tu m'impressionnes vraiment, Stéphane, dit Dominique en riant sous cape.

Stéphane prend son porte-voix et leur crie :

— Venez-vous à la maison ce soir? Les serviteurs sont partis et je veux m'amuser. Il faut rire! Vous m'aurez pour vous toutes seules.

Dominique tente de cacher le rouge qui lui envahit la figure.

— Tu es vraiment spécial, Stéphane Durocher. Je t'ai déjà dit que je n'aimais pas la marchandise

45

usagée.

— Mais moi, c'est différent. Je suis comme un bon cuir : plus je suis manipulé, mieux je suis.

— Ce que tu es vaniteux!

— Dominique, dit Stéphane d'un ton doctoral. Je sais que tu ne penses pas ce que tu viens de dire.

— Et puis?

— Alors, je pense que tu vas venir, ajoute-t-il d'un air vainqueur. Et dites aussi à Julien de se joindre à nous. Ça va lui faire du bien de s'éloigner de ce film d'horreur.

— Oh, Stéphane, je pense que c'est bien gentil à toi de vouloir le dérider, mais il n'en a peut-être pas envie. Et Pascal?

— Je vais même inviter Pascal, fait Stéphane d'un air de martyr. Julien m'inquiète, Dominique. Il ne veut pas croire que sa sœur est disparue.

— Et *toi*, qu'en penses-tu? demande Karine qui n'a pas encore dit un mot.

Les deux la regardent comme s'ils l'avaient oubliée. Stéphane soupire.

— Je pense qu'elle est tombée et qu'elle s'est noyée. Elle a dû aller jusqu'à cette grotte et la marée l'a surprise. Je ne veux pas être pessimiste, mais c'est déjà arrivé à d'autres. Nous avons eu de la chance de les trouver.

Karine dévisage Stéphane alors que Dominique la tire par le bras.

— Viens, Karine, nous devons marcher des kilomètres avant de pouvoir manger.

— Alors, je vous vois plus tard? crie Stéphane.

— Peut-être! fait Dominique en glissant son bras sous celui de Karine. Il ne change pas : impossible depuis le jour de sa naissance.

— Es-tu pensionnaire, toi aussi? demande Karine.

— Non. Je vais sur le continent, à l'école où allait Stéphane avant d'être obligé de partir.

— Obligé?

— Oui. Ce n'était pas le modèle des fils aux dires de son père. Ce dernier s'est fatigué de toujours le sortir du pétrin et a pensé qu'un pensionnat le remettrait dans le droit chemin. Ça n'a rien changé, bien sûr, mais le père de Stéphane paie cher pour qu'on le garde jusqu'à ce qu'il obtienne son diplôme.

— Comment sais-tu tout cela?

— C'est Stéphane qui me l'a dit. Mais entre toi et moi, je pense qu'il était content de rester dans cette école parce que Julien y était.

Les deux filles ralentissent et Karine regarde Dominique de côté.

— Et maintenant que Stéphane a enfin son diplôme, que se passe-t-il?

Dominique regarde ses chaussures en riant.

— Si tu penses à la saga Stéphane-Dominique, tu sais aussi bien que moi que ça ne va pas très bien. Oh, bien sûr que j'aimerais qu'il se rende compte que je suis la fille idéale pour lui!

— Et... Julien? demande Karine en essayant de paraître très décontractée. Je veux dire... a-t-il une petite amie?

— Julien est trop timide pour être lié à qui que ce soit. Mais il y a toujours une première fois. Viens vite, ajoute Dominique en se mettant à courir, c'est ici que commence notre visite touristique.

Pendant quelques heures, Dominique partage avec Karine une telle vision de l'île que Karine devient amoureuse de ce petit bout de terre. Il n'y a pas que la plage, le village et l'atmosphère de fête qui sont si fascinants, mais l'attitude amicale de tous les gens. Les deux jeunes filles visitent toutes les boutiques et s'arrêtent finalement au restaurant des parents de Dominique pour prendre une crème glacée. En retournant vers la plage, Dominique raconte en riant les souvenirs d'enfance qu'elle a vécus avec Stéphane. Karine rit tellement qu'elle en a mal au ventre. Pour la première fois, elle est contente d'être là, mais la vue des rochers et du bord de mer lui font vite changer d'humeur. Il lui semble injuste de s'amuser avec une amie alors qu'Élisa...

— Que voulait dire Stéphane tout à l'heure? demande Karine. Dominique lui lance un regard étrange.

— À quel sujet?

— Au sujet des gens qui prennent des risques et qu'on est bien chanceux de découvrir.

— Oh, ça!

Dominique soupire et escalade les rochers, suivant quelque invisible chemin qu'elle a souvent emprunté.

— Ça arrive parfois, même si les gens sont prévenus. Comme je te l'ai dit, les gars ne peuvent pas travailler jour et nuit. Les gens pensent qu'ils sont en sécurité parce qu'ils ne vont à l'eau qu'une minute, juste pour se tremper...

Malgré le soleil, Karine a un frisson.

— Et ils...

— Se noient, termine Dominique. Les marées sont tellement fortes et si différentes tout le tour de l'île. Les gens sont emportés avant même de s'en apercevoir et il n'y a personne pour les aider.

Karine tente de rejoindre Dominique qui va beaucoup plus vite.

— Nous avons eu deux noyades cet été. Bien entendu, nous n'en parlons pas trop. Nous ne voulons pas que les gens aient peur.

— C'est horrible, murmure Karine.

Elle se sent épuisée et Dominique prend encore de l'avance sur elle.

— Mais c'est heureux que nous les ayons trouvées. C'étaient deux filles de notre âge en vacances sur l'île.

Karine prend une longue inspiration et change de rythme. Les rochers sont difficiles à escalader, mais Dominique ne semble avoir aucun problème.

— Et qui les a trouvées?

— Oh, tu ne le connais pas, répond Dominique dont la voix est de plus en plus lointaine. Son nom est Isaac. C'est un vieux pêcheur qui traîne dans l'île. Il a un bandeau sur un oeil.

Karine fait un faux pas et se rattrape au dernier moment.

— Je... je le connais... dit-elle à voix si basse que Dominique ne l'entend pas.

— Viens voir la vue qu'on a d'ici. La plage, les rochers, la maison de Stéphane, on voit même le chemin du phare.

— On ne va pas au phare, non?

— Bien sûr. Tu ne veux pas le voir?

— Je pensais qu'on n'avait pas le droit d'y aller.

— C'est effectivement interdit, mais j'adore y aller. C'est tellement tranquille et la vue y est magnifique.

En soupirant et remplie d'appréhension, Karine suit son amie. Elle ne veut surtout pas rencontrer Isaac... *ou* Pascal...

— Nous y voilà! s'écrie Dominique en tirant Karine vers elle.

Elle ne remarque pas que Karine se tient tout près d'elle à mesure qu'elles se rapprochent du phare.

— C'est quelque chose, ce phare! fait Dominique en secouant la tête. Il a été construit en 1824. Le dernier gardien y a vécu plus de quarante ans.

Karine lève les yeux, les doigts refermés sur le bras de Dominique. Et voilà qu'elle a encore l'impression d'être observée...

— Ils ne s'en occupent plus, dit tristement Dominique. Après tant d'années de travail. Il y a quand même eu des bateaux qui se sont fracassés sur les rochers. Des gens pensent que le phare est hanté... que tous ceux qui se sont noyés se promènent dans la tour... et pleurent; qu'ils essaient d'en attirer d'autres...

Karine ferme les yeux, essayant de refouler la peur qu'elle sent monter en elle. Elle entend le vent qui siffle et elle se sent toujours épiée...

Elle entraîne son amie. Toutes deux redescendent. Elle entend le souffle de Dominique derrière elle, les plaintes du vent, son coeur qui bondit dans sa poitrine. Elle voit les rochers, mais elle n'aperçoit pas encore cette chose affreuse écrasée dans l'herbe, tentant de s'agripper à l'air comme si elle était toujours vivante, s'accrocher à sa cheville dans un dernier espoir...

Elle ne voit rien avant de tomber. Dominique s'effondre près d'elle. Karine l'entend hurler; elle essaie de lui prendre la main...

Mais ce n'est pas la main de Dominique qu'elle saisit.

Et ce ne sont pas non plus les yeux de Dominique qui la regardent, vides et ternes.

Chapitre 7

Karine ne se rappelle pas être redescendue de la falaise. Elle l'a fait comme une automate. Il ne lui reste qu'un vague souvenir de sa course, des cris de Dominique, des gens qui les regardent comme si elles sont toquées, et ce n'est qu'au bruit d'un klaxon qu'elle redevient consciente.

— Stéphane! Stéphane! Oh, merci! Stéphane! fait Dominique d'une voix aiguë en voyant la jeep de Stéphane s'arrêter.

Elle court vers lui et les gens s'attroupent autour d'eux.

— Stéphane... là-haut... tu dois venir...

Stéphane passe ses bras autour des épaules de Dominique.

— Dominique, cesse tout de suite. Arrête et dis-moi ce qui ne va pas.

— Oh, Stéphane... là-haut...

— Où ça?

— Là, là.

Stéphane la fait monter dans la jeep. Les gens regardent la plage, d'autres prennent la direction qu'indique Dominique.

— Allez, Karine. Monte.

Ils démarrent dans une pluie de sable et Karine tourne sa figure dans le vent. Dominique continue de bafouiller à l'avant et Stéphane lui tapote le genou de temps en temps. Ils s'arrêtent enfin près de la barrière cadenassée et Stéphane met pied à terre.

— D'accord. Où?

— Là-haut, de l'autre côté. C'est dans les hautes herbes.

Dominique frissonne alors que Karine descend et lève lentement les yeux vers le phare.

— Pourquoi n'avez-vous pas appelé à l'aide?

Stéphane tire sur une cordelette qu'il a passée à son cou. Il est ennuyé.

— J'ai encore perdu ma clé!

— Vous perdez toujours vos clés, lance Dominique. Dépêche-toi, Stéphane!

— Non, je l'ai, fait Stéphane en sortant une clé bleue de sa poche.

Il ouvre le cadenas, défait la chaîne et tire la porte.

— Tu ne me crois pas, dit Dominique, blessée.

— Je n'ai rien dit de tout ça...

— Appelle quelqu'un d'autre. Appelle Pascal, s'il te plaît.

— Pascal est parti avec l'équipe des recherches et Julien doit en revenir sous peu, marmonne Stéphane en scrutant les rochers. Comment se fait-il que vous étiez là? Tu sais Dominique comme cet endroit est dangereux.

— Arrête de me sermonner, Stéphane! Il y a quelqu'un là. Tu dois l'aider.

— Tu ne peux plus rien pour elle. Je pense qu'elle est morte, lance Karine en se mordant la lèvre.

Les deux autres la dévisagent.

— En es-tu certaine? demande Stéphane.

— Peut-être n'est-elle qu'inconsciente? tente Dominique.

Mais Karine secoue la tête et marche vers la barrière.

— Non, ses yeux étaient comme vides. Elle était morte.

— Tu veux dire que vous avez réellement trouvé un *corps* là-haut? demande Stéphane, tout à fait ahuri.

Les deux filles acquiescent d'un hochement de tête.

— Était-ce Élisa? demande encore le garçon.

Les filles se regardent d'un air désespéré, puis Dominique avale lentement sa salive.

— Je ne le sais pas. Tout est arrivé si vite...

— Tu ne sais pas? Que veux-tu dire, tu ne sais pas?

— Nous n'avons pas vraiment vu sa figure! lance Dominique. Nous avons buté sur quelque chose... puis c'était quelqu'un... Stéphane, viens là-haut!

— D'accord. Assez d'hystérie. Attendez-moi ici.

— Non, nous...

— Attendez ici, me comprenez-vous bien?

Elles le regardent disparaître sur le haut de la falaise. Karine ne se rappelle plus jusqu'où elles sont allées et combien de temps va prendre Stéphane pour découvrir cette horrible chose dans les herbes.

— Qu'est-ce qui le retient? grogne Dominique. Il me semble qu'il devrait être revenu.

— Peut-être est-il bouleversé? murmure Karine.

— Ou qu'il vomit. C'est ce que j'ai l'impression de vouloir faire, fait Dominique en couvrant sa figure de ses deux mains, la voix chevrotante. Mon Dieu, Karine... si c'était Élisa... je n'ai pas vu sa figure... si...

— Allez, viens, on va le rejoindre. Non, il arrive!

Elles guettent le pire sur les traits de Stéphane, mais elles ne peuvent y lire qu'une expression de rage.

— Vous vous pensez peut-être drôles, toutes les deux? demande-t-il, les lèvres serrées. Me déranger dans mon travail pour ça. Qu'est-ce que c'est que cette blague?

— Stéphane, de quoi parles-tu?

— Cesse ton jeu idiot, Dominique. Bon, vous m'avez eu. Êtes-vous satisfaites? fait Stéphane en refermant la barrière. Maintenant, sortez d'ici.

— Stéphane!

— Hé, attends une minute! crie Karine en le rattrapant. Ce n'est pas une blague. Il y avait une fille morte là-haut! L'as-tu vue?

— Non, et vous non plus.

— Alors tu as regardé au mauvais endroit, balbutie Dominique en secouant Stéphane. Tu es passé à côté ou elle a roulé jusqu'en bas...

— Roulé en bas, crie Stéphane en repoussant Dominique. Tu es vraiment le prototype de la femme illogique et émotionnelle. Il n'y a personne là-haut! Vivant ou mort!

— Viens avec nous! Nous te montrerons.

— Tu n'y retournes pas, Dominique. Si tu le fais, je t'arrête. J'en ai assez entendu pour aujourd'hui.

Puis il remet le moteur de la jeep en marche.

— Tu es la fille la plus idiote que j'aie jamais rencontrée, lui lance-t-il.

— Mais je l'ai vue moi aussi! crie Karine.

Stéphane hésite un moment, juste assez pour que Karine continue.

— Je suis tombée sur elle et ma figure était à

quelques centimètres de la sienne! Je l'ai vue! Nous ne pouvons pas l'avoir inventée toutes les deux!

Stéphane réfléchit en regardant Karine de ses grands yeux verts.

— D'accord, les filles. Vous êtes très convaincantes. Mais je vous attraperai à mon tour.

— Salaud! crie Dominique alors que la jeep descend vers la plage. Ne t'avais-je pas dit qu'il était macho et chauvin? Quelquefois il m'enrage! Karine, où vas-tu?

Mais Karine a déjà entamé la montée et ne s'arrête pas pour répondre. Elle se met à chercher aussitôt qu'elle atteint le haut de la falaise. Dominique la rattrape.

— Karine...

— Le corps n'est pas ici, Dominique. Stéphane ne blaguait pas.

— Mais c'est fou, il doit être ici.

Karine s'assoit par terre et hoche lentement la tête. Le phare s'élève près d'elles, silencieux, et Karine ne peut contrôler les tremblements qui la secouent.

— Qu'allons-nous faire? demande Dominique en se jetant près de son amie. Appeler la police?

— Et lui dire quoi? Nous n'avons aucune preuve.

— Tu as raison. Ils penseront que nous sommes folles eux aussi.

Elles restent silencieuses de longues minutes, puis Dominique se tourne vers Karine.

— Nous l'avons vue, n'est-ce pas? Nous n'avons pas imaginé tout ça?

— Ces choses-là n'arrivent que dans les livres ou au cinéma, pas dans la vraie vie.

— Peux-tu te rappeler quelque chose de sa figure?

demande Dominique.

Karine pense de nouveau aux yeux grands ouverts et remplis de terreur.

— Non, dit-elle en fermant les yeux. Seulement les yeux. Le reste de la figure était caché par les hautes herbes.

— J'imagine que nous ne pouvons pas réellement blâmer Stéphane d'avoir été furieux, d'avoir pensé que c'était une mauvaise blague. C'est tellement difficile à croire. Il doit songer à la disparition d'Élisa et à tous ces meurtres qui ont eu lieu à son école. Les meurtres du collège Bernages.

Karine fouille des yeux la pente de la falaise et n'entend qu'à demi.

— Quoi?

— Ne viens pas me dire que tu n'as pas entendu parler de ces horribles meurtres au collège où allaient Stéphane et Julien. C'était dans tous les journaux.

— Oui, mais je ne me rappelle plus les détails.

— Stéphane m'a dit que ce n'était pas particulièrement gai pendant un moment. Les policiers mettaient leur nez partout et il y avait toutes ces filles qui disparaissaient.

— En connaissait-il quelques-unes?

— Oui. Il est même sorti avec certaines d'entre elles. C'étaient des filles très sympatiques et pas du genre à suivre un étranger en voiture. Quand ils sont revenus au printemps, rien n'avait encore été élucidé. Aucune fille n'a été retrouvée.

— Et ils n'avaient aucun suspect?

— Non. Ils ont pourtant fait des recherches partout, même à l'hôpital psychiatrique Cartier, tout près. Ils se sont assurés qu'aucun patient ne s'était échappé.

Les yeux de Karine se promènent de gauche à droite.

— Tu as vraiment l'air nerveuse, dit Dominique, mal à l'aise.

— Oui.

— Moi aussi. Allons-nous-en.

Dominique conduit son amie vers le bas de la falaise. Soudain, Karine pousse un cri.

— Ne fais pas ça. J'ai failli tomber, s'écrie Dominique. Qu'est-ce qu'il y a?

— Viens voir. Ce n'est pas un corps.

Elle montre une grande surface d'herbes foulées à son amie.

— Mais il y en a eu un ici, ne vois-tu pas? Nous n'avons rien imaginé, Dominique. Le corps était à cet endroit précis!

Le visage pâle, Dominique examine le sol.

— Mais alors, où est-il?

— Je ne sais pas, rétorque Karine. Et comme il n'a pu déménager tout seul, quelqu'un ou quelque chose s'est occupé de le faire disparaître.

Elles se regardent en silence. Des pensées terribles les assaillent comme des vagues glacées. Dominique tombe à genoux et agrippe le bras de Karine à deux mains.

— Et si c'était Élisa?

— Et si ce n'était pas elle?

Le vent les secoue et la mer se brise sur les rochers. Karine lève les yeux vers le phare.

— Eh bien, que ce soit elle ou une autre, elle ne s'est pas noyée si haut.

Chapitre 8

Tremblant, le sauveteur penche la tête vers le mur.

C'est étrange comme il a de la difficulté à se rappeler ce qu'il fait... comme il doit se lever tôt le matin et vérifier s'il n'a pas rêvé ou si tout est bien réel...

Cette dernière l'a vraiment effrayé.

Une fille en fugue, sans vraie famille pour la rechercher, sans amis pour rapporter sa disparition. Et il a été tellement prudent et tellement soigneux pour tout faire vite...

Et elles l'ont trouvée. Karine et Dominique l'ont trouvée, même s'il s'empressait d'y retourner parce qu'il se rappelait enfin... et elles l'ont trouvée avant qu'il puisse faire quoi que ce soit...

Comment a-t-il pu l'oublier et la laisser là?

Il a vraiment eu peur à ce moment-là.

Mais il n'a plus peur.

Maintenant il est en sécurité car elle est avec lui, cachée parmi les autres, là où personne ne va les retrouver.

Le sauveteur ne tremble plus.

Il rit.

Chapitre 9

— Je ne peux pas croire que tu abandonnes.

— Elle n'est plus là, Julien. Pourquoi ne l'acceptes-tu pas?

Karine entend la discussion entre les deux garçons avant même d'arriver à la porte. Elle s'assoit alors sur le balcon et regarde la plage déserte entre les arbres. La journée a été longue et elle est épuisée.

— Tu n'as aucun sentiment. Tu la laisses partir comme ça.

— Écoute, ils ont passé l'île au peigne fin. Ils ont utilisé des chiens, des filets, des bateaux et des hélicoptères. Penses-tu que ça ne me fait rien? Que je ne reste pas éveillé toute la nuit à essayer de penser à quelque chose que nous aurions oublié? Que je ne m'inquiète pas de papa?

Les voix sont plus fortes et Karine se sent mal à l'aise comme si elle les espionnait. Mais où aller?

— Écoute... Julien... la voix de Pascal se calme. Je sais que c'est difficile de ne pas savoir. Et nous ne saurons peut-être jamais, mais nous devons affronter la réalité.

— Élisa était une si bonne nageuse.

— C'est vrai, Julien, Élisa était une excellente nageuse! Mais elle aurait pu être la plus grande nageuse au monde, elle n'aurait pas pu se sauver elle-même.

— Pourquoi pas? Qu'est-ce que tu dis?

Karine sent la douleur et la tension entre les deux frères.

— Je dis, fait calmement Pascal, que personne ne verra plus jamais Élisa vivante.

Karine se penche, le front contre les genoux. Elle entend la porte moustiquaire s'ouvrir, un bruit de pieds nus et aperçoit l'expression vide de Pascal. Elle le regarde disparaître entre les arbres et se tourne vers Julien qui sort à son tour. Il la dévisage plusieurs secondes, puis lui sourit.

— Tu n'es pas obligée de rester là. C'est ta maison ici.

— Je ne voulais pas être indiscrète, dit-elle en lui laissant une petite place près d'elle.

Il s'assoit et lui offre la boisson gazeuse qu'il tient à la main.

— Ce n'était pas indiscret. J'essaie de noyer mes regrets... Oh, quelles paroles! Mais il y a quelque chose qu'il ne me dit pas, ajoute-t-il.

— Pascal? demande-t-elle, surprise.

Julien fait signe que oui de la tête.

— Il a quelque chose dans la tête et il ne veut pas le dire.

— Qu'est-ce que c'est?

— Je pense... dit Julien en regardant Karine, que cela a quelque chose à voir avec la façon dont est morte Élisa.

— Et comment pourrait-il le savoir?

Julien penche la tête et prend une grande inspiration.

— Il dit qu'elle est morte. Comment peut-il en

être certain? Comment peut-il être si affirmatif à moins de connaître quelque chose que nous ignorons tous?

Il a une façon étrange de dire ça. Sa voix semble empreinte de peur, une peur réelle et froide.

— Tu ne connais pas Pascal, chuchote-t-il. Personne ne connaît Pascal... Personne...

— Julien!

Karine sursaute en voyant Éric tourner le coin du chalet. Julien saute sur ses pieds.

— Je suis ici, papa.

— Où est Pascal?

— Quelque part sur la plage, fait Julien avec un geste vague.

— Va me le trouver, veux-tu? J'ai besoin de vous parler. Je suis désolé que tu aies à vivre tout ça, Karine.

Karine ouvre la bouche pour répondre, mais Julien lui prend le bras et l'aide à se lever.

— Il ne t'entend pas. Pourquoi ne vas-tu pas dans la maison? Elle est toute à toi.

Julien s'éloigne vers la plage. Une bonne douche et un petit somme seraient bienvenus après une telle journée. Mais elle doit d'abord appeler Josée et lui parler du billet qu'Élisa lui a adressé.

Karine entre dans la maison et se dirige vers le téléphone. Pendant qu'elle attend la communication, elle serre dans ses doigts le bout de papier sur lequel Julien a écrit le numéro de téléphone. Quatre sonneries... sept. Karine va raccrocher quand la voix familière de son amie répond.

— Josée! C'est moi! Je...

— Karine!

Puis des voix et des cris.

— Josée, calme-toi une seconde. J'ai quelque chose d'important à te dire.

— Karine, mon père me crie après. Nous quittions la maison au moment où tu as appelé.

— Tu dois m'écouter! Il y a cette note...

— Karine, je t'entends mal! Combien êtes-vous sur la ligne? Il y a comme un écho.

— Non, c'est un numéro privé. Josée...

— Attends une minute, papa! Il ne cesse de crier. Karine, est-ce que je peux te rappeler à notre retour?

— Mais c'est dans deux semaines! Écoute-moi, Josée, s'il te plaît! J'ai trouvé une note de la fille qui vit ici. Elle pense que quelqu'un va la tuer... pensait que quelqu'un allait la tuer... Mais cette fille a disparu. M'entends-tu, Josée? Je ne sais pas si je dois montrer cette note à quelqu'un.

— Quoi? Il y a un écho sur la ligne.

— Josée, Josée, s'il te plaît...

— D'accord, j'arrive! Je dois te quitter, Karine. Je t'appelle dès mon retour.

— Mais tu n'as même pas le numéro de téléphone!

Karine entend un premier déclic, puis un second. Que va-t-elle faire maintenant? Josée n'a pas saisi un mot de ce qu'elle lui a dit. En soupirant, elle monte à sa chambre.

Elle ferme la porte entre la salle de bains et la chambre des garçons et commence à se déshabiller. L'eau chaude lui fait du bien, ses muscles se détendent. Elle laisse l'eau couler longtemps sur sa figure, puis referme le robinet. C'est alors qu'elle entend bouger dans sa chambre.

Nue et trempée, elle n'ose faire un seul mouvement. Un lourd silence s'installe, plus terrible encore que le bruit qu'elle a entendu. Ce silence la rend malade... ce silence accentué par le battement du sang dans ses veines.

Les mots sur le billet lui reviennent en mémoire :
Karine, je pense que quelqu'un veut me tuer...

Ses mains tremblent quand elle essaie de repousser le rideau de douche sans bruit. Elle n'entend plus rien dans sa chambre. Les pensées se bousculent dans sa tête. Peut-être que Pascal est revenu? Ou que Julien a frappé à sa porte et qu'elle ne l'a pas entendu? Ou sa mère? Ou Éric?

À tâtons, elle attrape sa serviette, s'y enroule et marche lentement vers la porte. Elle n'entend toujours rien de l'autre côté...

Avalant sa salive avec difficulté pour repousser la peur qui l'envahit, elle lance timidement :

— Julien, est-ce toi?

Mais tout reste silencieux. Karine ouvre la porte très lentement.

Sa chambre est exactement comme elle l'a laissée. Son sac, ses sandales... Un léger sourire se dessine sur ses lèvres quand elle laisse tomber sa serviette et qu'elle enfile sa robe de chambre. Puis, assise sur le lit, elle tend les pieds vers le tapis.

Elle ressent un choc terrifiant quand elle touche le tissu mouillé et froid. Elle pousse un cri en remarquant les grandes empreintes de pieds humides imprimées sur le tapis... une algue très mince repose dans un peu de sable, enroulée comme un serpent mort...

Karine grimpe sur son lit. Ses lèvres bougent, mais aucun son ne sort de sa gorge... Quelqu'un est bien venu dans sa chambre... peut-être est-il encore dans la maison...

Chapitre 10

Karine ne pensait pas qu'il faisait si noir. Maintenant qu'elle a sauté dans ses vêtements et couru hors de la maison, elle est surprise par le crépuscule.

La nuit tombe vite quand il y a du brouillard. Karine entend le roulement de la mer qui semble se moquer d'elle : *Regardez Karine se sauver!* Elle se bouche les oreilles et concentre son attention sur les fenêtres de la cuisine chez Éric. Elle monte les marches et juste avant de toucher la porte, une main l'agrippe par le poignet et la tire en arrière.

— Ne crie pas, je t'attendais... fait une voix.

— Laissez-moi tranquille! fait Karine en perdant l'équilibre.

— Je t'ai attendue pour te dire une chose ou deux, alors écoute bien le vieil Isaac. Je vois tout ce qui se passe et je sais des choses comme toi tu en sais. Tu es brillante, comme l'autre l'était, sauf que maintenant, elle est morte.

Il lève la tête et Karine voit ses dents jaunies et la bave sur son menton.

— Laissez-moi ou je *crie*!

Karine s'agenouille et crie. La lumière de la galerie s'allume et la porte s'ouvre.

— Attention! siffle Isaac et, en une seconde, il

disparaît.

— Qu'est-ce qui se passe? Vas-tu bien?

Karine s'accroche à la première personne qu'elle voit. C'est Pascal.

— Cet horrible vieil homme... il...

— Qui? Isaac?

— Il me suit!

Pascal lui lance un regard étrange en secouant la tête.

— Il ne te suit pas, il utilisait le téléphone.

— Quoi?

— Il nous a demandé s'il pouvait se servir du téléphone. Écoute, je n'ai pas de temps à perdre avec ta paranoïa. Il y a une urgence sur la plage et je dois y aller vite.

— Qu'est-il arrivé?

Pascal se retourne lentement.

— Une noyade. Quelqu'un doit aller voir le corps.

Karine se sent faible. Elle s'assoit sur une marche et pose sa tête sur ses mains. *Oh, que ce ne soit pas Élisa...*

Il lui semble que Pascal est parti depuis une éternité. Elle n'a pas le courage d'entrer dans la cuisine avec les autres, mais quand elle l'entend revenir au pas de course, elle s'oblige à le suivre.

Ils sont tous là : Éric et sa mère, Julien et Stéphane.

— Ce n'était pas elle, dit Pascal. C'est un accident de bateau.

Une fille s'est prise dans une chaîne d'ancre... mais ce n'est pas Élisa.

Éric se cache la figure.

— Je ne peux en supporter davantage... fait-il d'une voix étouffée.

— Papa, soupire Julien.

Mais Éric balance la tête.

— On ne peut plus continuer comme ça. Il faut que ça cesse.

Karine regarde Julien, mais elle ne peut plus voir son air de détresse.

— Il faut espérer... bien sûr... Toujours espérer. Mais il est temps de reprendre nos vies en main, mon fils, poursuit Éric en prenant la main de Julien. C'est ce qu'Élisa souhaiterait.

La pièce tourne autour de Karine. Elle entend des chaises râcler le plancher, des portes s'ouvrir et se fermer, mais ce n'est que lorsqu'une main se pose sur son épaule qu'elle revient sur terre.

— Tu viens avec nous? demande Stéphane.

Karine tourne sa chaise et le regarde dans les yeux.

— Stéphane, je pense que quelqu'un est allé dans ma chambre.

— Un amoureux! ricane-t-il.

— Stéphane, je suis sérieuse. Je ne pouvais en parler en face d'Éric, mais... j'ai entendu du bruit dans ma chambre et quand je suis sortie de la douche, il y avait des empreintes de pieds sur le tapis.

— Que se passe-t-il? demande Julien en se penchant pour entendre. Qu'est-ce qu'il y a dans ta chambre?

Mais avant que Karine ne puisse répondre, Stéphane attrape le bras de Julien.

— Viens. Karine pense que quelqu'un est allé dans sa chambre.

— Quoi? fait Julien en regardant Karine d'un air interrogateur.

Karine se retourne et voit Pascal les suivre. Elle

se lève pour faire de même, mais la voix de Julien s'élève, claire et autoritaire.

— Karine, tu restes où tu es. Nous revenons.

Elle s'appuie contre la porte et souhaite qu'ils fassent vite. Elle n'a pas pu imaginer ça. Pas après avoir vu les empreintes mouillées sur le tapis.

Karine les entend qui reviennent, des rires étouffés sortant du couvert des arbres. Stéphane doit leur raconter son aventure de l'après-midi avec Dominique. Les gars trouvent tout drôle. En les voyant, elle sait qu'ils n'ont rien vu, mais elle les attend sans baisser les yeux.

— Karine...

— Je sais. Vous n'avez rien trouvé.

— Hé, relaxe! C'est probablement le corps que tu as trouvé avec Dominique cet après-midi!

Stéphane la prend amicalement par les épaules, mais elle se défait de son étreinte, revoyant en pensée les grands yeux sans vie dans les herbes.

— Peu importe ce que tu dis. Et comment expliques-tu ces empreintes de pas?

— Quelles empreintes? Je n'ai rien vu.

— Moi, je les ai vues, coupe Julien, sur le tapis, n'est-ce pas?

Comme Karine approuve de la tête, il lui sourit.

— Et qui les y a mises? demande Stéphane.

— Elle, probablement, fait Pascal en haussant les épaules. Elle a probablement fait son chemin en revenant de la plage.

— Tu es fou! Et pourquoi n'y en avait-il pas dans l'escalier et à l'extérieur de ma chambre?

— Mais il y en avait! s'exclame Stéphane. Tu as rentré la moitié de l'océan avec toi!

— Tu mens! chuchote-t-elle.

— Il ment, fait Julien, mais il y avait des pistes de la baignoire jusqu'au tapis. Tu... les as probablement faites en sortant de la douche.

Karine ne peut pas croire ce qu'elle entend. Trois paires d'yeux la dévisagent.

— Je n'ai pas fait ces pistes, fait-elle d'une voix faible. Elles étaient déjà là quand je suis sortie de la salle de bains.

Julien baisse les yeux, mal à l'aise, et Stéphane donne une grande tape dans le dos de Karine.

— Tu es tout à fait comme Dominique! Tu veux nous faire avaler ça? Si tu ne l'as pas fait, alors qui d'autre? Est-ce que quelque chose a disparu?

— Eh bien, non, fait Karine de mauvais coeur.

— D'accord. Rien de volé. Pas de vandalisme. Pas d'arme sur l'oreiller ou de note sous la porte.

Karine lève la tête, choquée par les derniers mots, mais Stéphane continue.

— Personne dans ta chambre. Toute cette histoire t'a rendue paranoïaque.

Karine cherche Julien des yeux. Il se tourne vers elle et lui prend le bras.

— Tu as peut-être imaginé tout ça. C'est peut-être un de tes étranges cauchemars?

— Peut-être était-ce un fantôme? dit Pascal. C'était peut-être Élisa revenant dans sa chambre pour voir qui s'y est installé.

Le silence qui règne est presque douloureux. Après plusieurs secondes, Pascal se dirige vers la jeep de Stéphane. Julien s'assoit dans les marches.

— Ne l'écoute pas, Karine. C'est son humeur normale.

— Viens. Nous avons tous besoin de partir d'ici, dit Stéphane.

— Merci, je reste ici.

Julien se lève et va dans la maison.

— Je vais dire à papa que nous partons.

— Vous allez où? demande Karine.

— Chez moi. Tu te rappelles, fait Stéphane.

— Stéphane, je ne pense pas que le temps soit à la rigolade.

Stéphane se penche vers Karine; il a l'air sincère.

— Écoute, dit-il. Julien est mon meilleur ami. Je veux le sortir pour un petit moment. Rien de fou — seulement de bons amis et un environnement différent pour faire changement.

Il sourit.

— Je suis désolé pour ce que j'ai dit. Si Julien te croit, je te crois. Je sais que ça doit être difficile d'être dans la chambre d'Élisa. C'est pourquoi je pense que le vent a pu te faire peur et que tu es rentrée dans la chambre en laissant tes empreintes partout sans t'en apercevoir.

— Mais l'algue?

— Quelle algue?

— Ne me dis pas que tu ne l'as pas vue... sur le tapis.

— J'ai vu des pistes, de l'eau, mais pas d'algue. Nous avons pris chacun une direction différente pour vérifier si quelqu'un était caché. Il faudra que tu leur demandes à eux s'ils ont vu une algue.

Il la prend gentiment par l'épaule.

— Viens avec nous. Ça fera plaisir à Julien.

Karine ne sait plus trop quoi penser. Après tout, Dominique lui a dit qu'on était en sécurité dans l'île. Elle est fatiguée et n'a plus envie de discuter.

— Je pense que c'est gentil de faire ça pour Julien.

— Bien sûr que c'est gentil. Ne suis-je pas un gentil garçon? continue-t-il en la tirant vers la jeep.

Elle hésite encore.

— Tu viens? demande Julien en lui passant un bras autour des épaules.

— Je ne sais pas si je devrais. Après tout ce sont tes amis et...

— Tu es mon amie, dit-il le sourire aux lèvres. N'est-ce pas?

— Oui... je suis ton amie, répond Karine en rougissant jusqu'aux oreilles.

— Allez, grimpez! lance Stéphane. Dominique nous attend avec de la bouffe et je meurs de faim!

— Tu as toujours faim, dit Julien.

— Attachez vos ceintures! crie Stéphane en démarrant.

Plus personne ne dit un mot jusque chez Stéphane. Les garçons se précipitent dans la piscine et Dominique en profite pour faire visiter la maison à Karine.

— Es-tu certaine qu'on peut mettre notre nez partout? demande Karine, estomaquée des richesses de la maison. Qu'en disent ses parents?

— Rien du tout. Son père est sur le continent à un bal de charité et sa mère, à Paris avec son dernier petit copain. De toute façon, c'est presque chez moi, ici.

Dominique rit, Karine toujours sur les talons. En arrivant à la chambre de Stéphane, Karine est ébahie. C'est presque un appartement : deux grandes pièces, avec des fauteuils et des coussins, un mur couvert de disques et de cassettes, une chaîne stéréo très sophistiquée, une bibliothèque vitrée et un immense bureau en bois massif.

— Oh, oh! La pizza brûle — je reviens! lance Dominique.

Avant que Karine puisse répondre, Dominique disparaît dans l'escalier. Elle continue de visiter la chambre : un mur couvert de trophées de natation, puis un autre encore avec des certificats et des récompenses, tous au nom de Stéphane. Debout sur la pointe des pieds, elle tente de déchiffrer ceux de la rangée du haut quand une voix la surprend.

— C'est moi, fait Stéphane en riant. Loin de moi l'idée d'interrompre ton adoration.

Karine sourit.

— Ça me prendrait des années à tout lire. Est-ce pour la natation?

— Oui, dit Stéphane en se jetant sur son lit d'eau. Et quelques-uns pour le sauvetage.

— Veux-tu dire que tu as déjà sauvé des gens?

— Trois personnes.

— Tu es presque un héros. Ton père doit être fier de toi.

Aucune réponse. Karine se retourne, surprise de la mine renfrognée du garçon.

— Ai-je dit quelque chose qu'il ne fallait pas?

— Pas du tout. Laisse-moi te faire faire le tour du propriétaire.

Il se lève, la prend par le bras et la conduit à travers sa chambre.

— Ma cuisine, chère madame. Très utile quand le cuisinier est de sortie. Ah, et voici ma garde-robe, continue-t-il en ouvrant une penderie aussi grande que le salon chez Karine. Et on continue —la salle de bains avec le sauna et le jacuzzi. Impressionnée? Non? Eh bien, viens voir ma chambre noire, mon ordinateur, mon écran de télé géant et mon magnétoscope et...

— Et il n'y aura plus rien à manger si vous ne descendez pas tout de suite à la cuisine, fait Dominique sur le pas de la porte.

— Mon Dieu! Elle nous a attrapés!

Il les prend toutes deux par la taille et les conduit à la piscine, à l'extérieur. Karine se sent un peu comme le nouveau membre d'un riche club.

— Tu ne manges pas?

Julien est déjà là, une assiette bien garnie à la main. Karine se rend compte à quel point elle a faim. Elle lui prend l'assiette des mains.

— Merci. Ça semble délicieux.

— Et tu as l'air exténuée. Tu ne veux pas t'asseoir un peu.

— Oui.

Il la conduit à une table basse et approche sa chaise de la sienne.

— Je veux te remercier, dit-il.

— Me remercier pour quoi? demande Karine, étonnée.

— Parce que tu te préoccupes de moi.

— Je sais seulement comment on se sent quand on perd quelqu'un qui nous est cher, c'est tout, fait-elle en baissant la tête.

— Je suis désolé que tu aies eu à passer par là, Karine.

Karine réprime ses larmes.

— Que vas-tu faire maintenant? lui demande-t-elle.

— Boire jusqu'à me rouler sur le plancher, peut-être?

C'est tellement absurde venant de la bouche de Julien que Karine pouffe de rire. Il sourit à son tour.

— J'aime bien quand tu ris. Tu devrais le faire plus souvent. Je sais comment tu te sens, ajoute-t-il après un moment. Quand quelque chose de grave arrive, les gens voudraient que tout redevienne vite normal. Ils voudraient que tout s'efface pour retourner à leur petite vie tranquille. Mais ils ne cessent de penser à la personne disparue — elle ne sera plus jamais heureuse... ou normale... ou simplement vivante...

Il soupire et repousse son assiette.

— Et ils se sentent coupables de vouloir reprendre leur vie là où elle était rendue, poursuit-il. Pour le moment, tout ce que je souhaite, c'est être ici. Être n'importe où sauf à la maison. Penser à n'importe quoi sauf à Élisa.

Karine hoche la tête, mais est incapable de dire quoi que ce soit.

— Je pense que Pascal a raison, dit encore Julien. C'est le fait de ne pas savoir qui est le pire parce que tu espères toujours découvrir quelque chose. Tu penses qu'elle va peut-être même revenir.

— Mais tu ne peux pas vivre comme ça, répond Karine machinalement, surprise de s'entendre prononcer ces paroles. Tu ne peux pas vivre ta vie pour quelque chose qui n'arrivera peut-être jamais. Parce qu'un jour ta propre vie est finie et tout ce que tu as fait, c'est de vivre pour quelqu'un d'autre.

Songeur, Julien l'observe un moment. Il y a une douce lueur dans ses yeux et son sourire est triste.

— Viens-tu faire une promenade?

— D'accord. Où irons-nous, ajoute-t-elle alors qu'il lui prend le bras et la conduit vers une grande clôture à l'arrière de la cour.

— La plage est de ce côté. Ils se disputent encore,

fait-il en regardant par-dessus son épaule. Pascal va sûrement se sauver.

— Elle l'aime beaucoup, tu sais.

— Je sais.

Karine sursaute, surprise par la noirceur qui règne de l'autre côté de la barrière.

— Ça va, dit Julien, la lune est cachée par un nuage. Dans une seconde tu vas voir toute la plage.

Il lui prend la main et elle est contente de marcher avec lui sur le sable. Le vent souffle et le ciel, sombre pendant un moment, s'éclaire maintenant de la clarté de la lune. Karine admire le paysage : les rochers et le sable sont d'argent, la mer frappe paresseusement la plage. Elle sent toute la puissance et la beauté qui se dégagent de ce paysage et souhaite pouvoir aimer... souhaite que ses peurs ne la hantent plus jamais.

— Qu'en penses-tu? demande doucement Julien en serrant ses doigts.

— Je pense que c'est merveilleux, répond Karine sans hésiter. Et terrifiant. J'ai toujours voulu vivre sur une plage.

— Et maintenant?

— Non.

Ils marchent quelques minutes en silence.

— Ne sommes-nous pas sur des plages privées?

— Oui, mais nous sommes des invités de Stéphane. Et n'oublie pas que je suis le sauveteur.

— Et tu aimes ça être sauveteur?

— C'est mon travail. Et je rencontre plein de gens.

— Des filles.

— Oui, des filles, fait-il, timide. Ce n'est pas comme au cinéma, tu sais.

— Quelle plage préfères-tu?

— Celle-ci. Elle est calme. Pas trop d'accidents n'y arrivent. Veux-tu nager?

Sans même réfléchir, Karine retire sa main de la sienne.

— Je... non. Pas ce soir.

— L'eau est très chaude, lui assure-t-il en touchant l'eau des doigts.

— Je n'ai pas de maillot.

— Il doit sûrement y en avoir un chez Stéphane. Je peux aller...

— Non! Je ne veux pas nager. Je déteste ça.

Elle détourne la tête pour cacher la panique qui se lit sur sa figure et est déconcertée quand elle sent les doigts de Julien sur sa nuque.

— Je suis désolé, Karine. Tu n'es pas obligée de nager, ni de faire quoi que ce soit que tu ne veux pas faire.

Elle ne veut pas le regarder.

— Ce n'est pas ça, soupire-t-elle.

— Mais il y a quelque chose puisque tu es tellement bouleversée.

Karine se rend compte subitement qu'elle tremble comme une feuille. Elle se tourne vers lui et tente un sourire.

— Je n'aime pas l'eau, comme d'autres n'aiment pas les épinards ou aller chez le dentiste.

— Quelque chose t'est-il arrivé quand tu étais petite?

«Il y a deux ans... deux années qui n'en finissent plus...» pense-t-elle.

— Je n'ai pas toujours eu peur. Mais va nager si tu veux. Je resterai ici et je te regarderai.

— Non. Retournons à la maison.

— Non, vraiment! dit Karine un peu plus fort. J'ai l'impression de tout gâcher.

— Karine, ne sois pas idiote. Je peux nager quand je veux.

— S'il te plaît, Julien! Je ne veux plus avoir peur!

Pourquoi dit-elle ça? Elle ne le sait pas. Les mots sont sortis tout seuls. Julien lui jette un regard étrange et, lentement, il enlève son chandail.

— D'accord. J'y vais. Tu vas voir comme c'est chaud et agréable. Comme un massage après une longue journée de travail.

Elle le regarde enlever son jean et étirer la bande élastique de son maillot.

— J'y vais, dit-il, et puis tu viendras près de moi.

— Non... je m'assois ici.

— Juste au bord. Tu vois? L'eau ne vient pas plus loin que ça.

Les yeux de Julien ne quittent pas ceux de Karine. Il recule et elle avance d'un pas en croisant les bras et secouant la tête.

— Non, je ne veux pas mouiller mes vêtements.

— Tu as des shorts. Pense seulement que tu vas patauger dans une baignoire géante.

Il a de l'eau jusqu'aux chevilles et prend sa main.

— Viens. Tiens ma main.

— Je ne peux pas.

— Oui, tu le peux. Je ne te laisserai pas. Nous allons rester ici et tu vas t'habituer.

Les pieds de Karine bougent comme s'ils ne lui appartenaient pas. Dans sa tête il y a un grondement qu'elle n'entendait pas un moment plus tôt.

— Un peu plus, fait Julien. C'est bien.

Elle sent le sable se dissoudre sous ses pieds et la chaleur des doigts de Julien tenant les siens.

— Tu vois? Ça va.

Ses yeux sont si bleus, même à la pauvre clarté de la lune. Karine rit nerveusement et il rit avec elle, la tirant vers lui.

— Ça va? chuchote-t-il.

Elle prend une grande inspiration et sent ses bras qui se referment autour d'elle au moment où une vague éclate contre ses jambes, la projetant contre la poitrine du garçon. Elle hoche la tête sans pouvoir parler. La menace est encore là : quelque chose de grave va arriver si elle n'écoute pas ses peurs. Mais avec la peur, il y a autre chose. Il y a les battements accélérés de son coeur et la chaleur du corps de Julien contre sa joue.

— Je sais ce que c'est que d'avoir peur, chuchote Julien.

Elle lève les yeux et le regarde, désolée pour tout ce qu'il a vécu. Les lèvres de Julien caressent ses cheveux, son front, ferment ses yeux et hésitent près de sa joue. Karine retient son souffle. Soudain, il la repousse et rit, presque coupable.

— Tu parles d'une leçon de natation!

C'est maintenant au tour de Karine d'être embarrassée. Elle rit nerveusement, les yeux fixés sur ses mains qui la tiennent.

— Nous devrions peut-être retourner, dit-elle en souhaitant qu'ils n'en fassent rien.

Elle veut rester là pour toujours, avec Julien qui tient les peurs à distance. Julien lui serre alors les bras.

— Non, pas avant que je ne t'aie fait découvrir ce que tu manques. Viens. Encore deux pas. Suis-moi.

— Julien!

Les doigts de Karine s'enfoncent dans les bras de

77

Julien. Il la guide vers le large, la voix douce et les lèvres près de l'oreille.

— Chut, maintenant cramponne-toi à moi.

— Julien! Non!

— Je te tiens, Karine. Je ne te laisserai pas tomber.

Le monde lui échappe; elle n'a pas d'autre choix que de s'accrocher à Julien qui continue de reculer dans l'eau. Elle sent les courants tourner autour de ses chevilles. Elle se serre un peu plus contre Julien.

— Tu vois? dit Julien en souriant. Je savais que tu étais capable.

Et elle nage, tous les muscles retrouvant ce qu'ils doivent faire, son corps léger comme une plume dans le cercle des bras de Julien. Karine se sent triomphante, soulagée. Elle ne sait plus. Tout ce qu'elle sait c'est que les lèvres de Julien sont sur les siennes et que les vagues soudent leurs deux corps...

Elle ne voit pas l'énorme vague rouler vers eux.

Ou même l'autre qui vient après, les séparant.

Tout ce qu'elle voit, c'est une explosion de noirceur, les étoiles dans le ciel et la lune pendue à l'envers alors que l'océan la culbute sur la plage.

Chapitre 11

— Julien!

Karine sort de l'eau en rampant, les yeux fixés sur la surface de l'eau. Aucun signe de vie, pas d'appels au secours... Seulement la plage vide... l'océan, ses secrets et Karine...

— Julien! crie-t-elle encore.

De l'eau jusqu'aux cuisses, elle court. C'est elle que l'océan veut avoir. Elle l'a vaincu une fois, mais il cherche à prendre sa revanche.

— Julien! Où es-tu? Réponds-moi!

Elle se tient là, frissonnante, et soudain, quelque chose frotte contre sa jambe.

Au début, elle pense voir Julien sortir de l'eau. Mais ce n'est pas Julien. Il n'y a rien. Elle regarde autour d'elle et sent encore la chose la frôler, puis s'éloigner en faisant des vagues. Hypnotisée, elle fixe le reflet de la lune dans l'océan. Les paroles de Pascal lui reviennent en mémoire : *ils n'ont pas besoin de beaucoup d'eau... un mètre...*

Et les yeux toujours fixés sur la trace, elle voit la chose revenir vers elle.

La terreur la jette sur la plage, le sable écorchant sa figure et ses mains. Elle tombe, court et tombe encore; la plage ressemble à une maison hantée où elle cherche à sauver sa vie sans aller nulle part.

«Où est tout le monde? Ne peuvent-ils pas m'entendre?» Et elle court encore, criant le nom de Julien que personne n'entend. Hystérique, elle bute contre du bois mort et s'étend de tout son long; son nez saigne et ses bras battent l'air devant elle...

— Qu'est-ce qu'il y a, Karine? Arrête!

Elle repousse les bras qui essaient de la calmer.

— Laissez-moi partir!

— Qu'est-ce qui te prend?

Elle voit enfin les yeux noirs de Pascal et veut s'éloigner, mais sa poigne est trop forte.

— Julien, balbutie-t-elle, là-bas...

— Où? fait-il en la secouant. Qu'est-ce qu'il a, Julien?

— Il a disparu, pleure-t-elle. J'ai vu un requin.

Visible dans le noir, la pâleur soudaine de Pascal lui donne un choc.

— Montre-moi où.

— Tu dois l'aider.

— Montre-moi où. Maintenant!

Ils retournent en courant vers la plage, Karine derrière Pascal. Elle se sent malade, le goût de l'eau de mer et celui de la peur lui remontent dans la gorge. Elle s'arrête, à bout de souffle, mais Pascal continue.

— Où? crie-t-il. Où étais-tu?

— Je ne sais pas.

Pascal appelle Julien à pleins poumons et avance lentement dans l'eau. Karine le rejoint et le tire en arrière.

— Ne va pas là-dedans, Pascal! lui crie-t-elle. Viens, allons chercher de l'aide!

Mais il l'abandonne, s'enfonçant plus loin dans

l'océan.

— Julien! Julien!

Puis en se retournant, il lui lance :

— Va au poste de sauvetage et décroche le téléphone.

Mais Karine court déjà sur la plage.« *Seulement quelques minutes... quelques secondes... je ne pouvais pas aider papa... mais je sauverai Julien...*» Karine ne remarque pas tout de suite le bruit : une toux indistincte. Elle pense même que ça vient de sa gorge, qu'elle va être malade, mais elle jette les yeux plus bas et aperçoit une ombre qui sort de l'eau et tombe sur le sable près d'elle.

— Julien! Oh! Julien, es-tu?

Il tousse encore, vide ses poumons de l'eau qui y était entrée. Karine est consciente de crier le nom de Pascal pendant qu'elle retourne un Julien tremblant sur le dos.

— Où est-il? crie Julien, les yeux terrifiés.

— Qui? Pascal? Il te cherche.

— Non! répond-il en serrant son bras. Où était-il quand je suis entré dans l'eau?

Karine le regarde comme s'il divaguait.

— Je ne le sais pas, mais je dois aller l'avertir que tu es sain et sauf, dit-elle en tentant de détacher ses doigts qu'il tient toujours. Julien, il est parti à ta recherche et j'ai vu un requin. Ne comprends-tu pas?

— Non! dit Julien en levant la figure vers elle. Tu ne comprends pas...

Karine frissonne en le dévisageant sans remarquer que quelqu'un les a rejoint.

— Vas-tu bien? demande la voix profonde de Pascal.

Julien tremble toujours et Karine enferme ses

doigts gelés dans les siens.

— Il est glacé, dit-elle à Pascal agenouillé pour l'examiner.

«Julien est trop faible pour bouger. Faible? Ou effrayé?» Cette pensée frappe Karine et elle se lève.

— Où vas-tu? demande Pascal.

— Chercher de l'aide. Il a besoin d'un médecin.

— Non, il va bien, fait Pascal en se remettant sur pieds lui aussi. Nous allons le laisser se reposer et nous l'aiderons ensuite à revenir vers la maison.

Karine fronce les sourcils. Une appréhension la gagne. C'est vraiment trop. D'abord Élisa et maintenant Julien... juste sous ses yeux... et rien à faire...

Elle repousse une autre vague de panique et regarde Julien se mettre sur le dos, les yeux fermés, les lèvres agitées. Pascal se penche pour recueillir le murmure...

Karine entend tout. Dévisageant la figure exsangue de Julien, elle entend les mots et la terreur dont ils sont remplis.

— Pascal... chuchote Julien, où étais-tu?

Chapitre 12

— Je ne sais pas ce que j'aurais fait à ta place, répète Dominique pour la cinquième fois en versant de l'eau pour faire du thé. Toute seule dans l'eau et Julien qui disparaît...

— Dominique, il faut que nous parlions, fait Karine, une couverture serrée autour des épaules. Il y avait quelqu'un dans ma chambre ce soir, mais personne ne me croit.

— Est-ce que tu blagues?

Mais l'attitude sérieuse de Karine vaut mieux qu'une réponse.

— Les gars ne me croient pas. Je n'aurais même pas dû leur en parler. Ils pensent que j'ai tout imaginé. Ils disent que j'ai fait moi-même les empreintes en sortant de la douche, mais ce n'est pas moi. Ce ne sont pas mes empreintes; elles étaient beaucoup plus grandes.

— Tu veux dire que quelqu'un rôdait dans ta chambre?

— Je ne peux rien prouver, grogne Karine. C'est aussi terrible que l'histoire de ce corps qui a disparu aujourd'hui. Stéphane a tout raconté aux autres. Ils se sont bien amusés.

— Stéphane va aller raconter ça aux policiers et

personne ne voudra plus jamais nous croire, grommelle Dominique, furieuse.

— Tu ferais mieux d'aller porter le thé à Julien.

Karine entend leurs voix à travers la musique dans le salon. Allongé sur le divan, Julien fait comme si rien n'était arrivé. Karine est fière d'elle; elle a su se contrôler. Pascal ne voulait alarmer personne et elle est restée calme pour revenir de la plage. Mais maintenant qu'elle est à l'abri, en sécurité et bien au chaud, elle a l'impression que sa belle façade s'écroule.

— As-tu assez chaud?

La voix de Pascal la fait sursauter. Il est debout dans le cadre de la porte, tout en angles et en ombres. Elle ne peut arriver à lire dans ses pensées. Elle décide de se concentrer plutôt sur sa tasse de thé.

— Oui, merci. Je suis bien.

«Pas de larmes, Karine, ce n'est ni l'endroit ni le moment...» Elle se demande s'il a remarqué à quel point sa cuillère tremble.

— À propos du requin, dit Pascal, es-tu... certaine... de l'avoir vu?

— Pourquoi? Penses-tu que j'hallucine sur tout ce que je vois ici? Comme le rôdeur de ma chambre? Comme le corps que Stéphane pense que nous avons inventé, Dominique et moi? Tu t'imagines que Julien est disparu comme ça pour nous effrayer à mort?

Elle est surprise de sa propre véhémence. Pascal ne laisse rien paraître.

— Le requin, dit-il encore, tu n'aurais pas pu confondre avec autre chose?

— Je l'ai vu venir de l'eau, répète-t-elle, se frotter contre mes jambes.

Karine frissonne encore. Sa tasse tremble dans la

soucoupe.

— Beaucoup de choses peuvent te toucher sous l'eau, reprend Pascal tout en se versant du café. Un poisson... du bois mort... des algues...

— Je l'ai senti et je l'ai vu.

— Je ne dis pas que tu n'as *rien* senti, mais je dis que la peau d'un requin est très rude. Ta peau aurait été égratignée. Les choses nous semblent souvent pires qu'elles ne le sont en réalité.

Karine reste silencieuse. Elle a peur d'exploser.

— N'en parle pas, lui dit Pascal, les yeux fixés sur elle par-dessus le bord de sa tasse. Du moins pas maintenant.

— Ne penses-tu pas que les gens ont le droit de savoir s'ils sont sur le point d'être dévorés vivants...

— Oui, mais il n'est pas nécessaire de paniquer. Laisse-moi en parler aux gens concernés. Ai-je ton accord?

Karine le regarde avec des poignards dans les yeux. Il sort de la cuisine sans dire un autre mot, bousculant Dominique qui vient rejoindre son amie.

— Qu'est-ce qu'il y a encore?

— Je déteste son — ses airs supérieurs! Et sa façon de mener tout le monde! Et il arrive toujours au moment où tu t'y attends le moins, comme un serpent sous une roche. Mais où était-il?

— Quand?

— Ce soir, quand Julien et moi sommes sortis.

— Je ne le sais pas. Quand nous sommes descendus avec Stéphane, il n'était pas là.

Karine se renfrogne et Dominique la regarde, curieuse.

— Je n'avais même pas remarqué que toi et Julien étiez sortis. Stéphane et moi, nous nous querellions encore... Stéphane est sorti pour se baigner et nous vous avons vus revenir de la plage. Karine, qu'y a-t-il?

Où est-il...? où était-il quand je suis entré dans l'eau...? Karine tente de remettre de l'ordre dans les paroles de Julien sur la plage.

— Dominique... penses-tu que Julien a peur de Pascal?

— Peur? fait Dominique, perplexe. Eh bien, tout le monde a un peu peur de Pascal. Personne ne se tient avec lui. Ni Stéphane. Ni les insulaires. Ni même toi.

— Pas même les gens d'ici? Pourquoi?

— Il les rend mal à l'aise.

Karine hoche rapidement la tête. Une migraine fait battre ses tempes.

— Où vas-tu? demande Dominique en voyant son amie se lever.

— Je veux aller à la salle de bains. Ne t'en fais pas, ça va aller.

— Va à l'étage, la troisième porte à gauche. Tu seras tranquille. As-tu besoin de moi?

— Non, merci.

Karine monte le grand escalier en colimaçon et trouve facilement la salle de bains. Elle s'y enferme et s'assoit sur le plancher, le dos contre le mur, les pensées se bousculant dans sa tête. Elle ne pourra jamais oublier ce qui lui est arrivé ce soir : la disparition de Julien, puis cette pression contre ses jambes; le soulagement de retrouver Julien sain et sauf après avoir eu peur de le perdre.

Ne lutte pas... ce sera plus facile si tu ne luttes pas...

— Oh, papa, gémit Karine.

Elle met ses mains de chaque côté de sa tête et se balance doucement. «Pourquoi Julien semble-t-il avoir si peur de Pascal? Et pourquoi Pascal veut-il garder le secret sur ce qui est arrivé?» Les questions avivent son mal de tête. «Où est allé ce corps? Et pourquoi suis-je si certaine que quelqu'un est venu dans ma chambre ce soir?»

Elle ouvre la fenêtre et presse sa figure contre la moustiquaire. L'air est lourd et humide. Ses yeux parcourent les rochers, la plage déserte...

Non... elle n'est pas déserte.

Karine sent son corps se raidir en voyant un rocher se détacher des autres. Long et fantomatique. Ça lui prend une seconde à le reconnaître. C'est Isaac.

Absorbée, Karine le regarde s'approcher de la barrière. Il jette un oeil autour de lui et pousse la barrière pour entrer.

— Stéphane! crie Karine dans l'escalier. Stéphane... à l'arrière... il essaie de rentrer...

— Quoi! Qui?

Stéphane la regarde comme s'il ne comprenait rien. Julien et Pascal sont déjà dehors et Dominique va vers Karine. Stéphane se décide enfin à suivre les deux autres garçons.

— Est-ce que ça va? demande Dominique.

Elle attrape Karine par le poignet et elles courent toutes deux vers la piscine.

— Je l'ai vu par la fenêtre. Ils doivent déjà l'avoir pris.

— Eh bien, il n'y a personne, fait Stéphane, les bras en croix. Tu as dit «il»?

— Oui, c'était Isaac.

— Isaac!

— J'en suis certaine; je l'ai vu comme en plein jour.

— Qu'est-ce qu'il faisait ici? demande Dominique.

— Il a dû entendre de la musique et vouloir se joindre à la fête, explique Stéphane. Avez-vous eu plus de chance que moi? ajoute-t-il à l'endroit de Julien et Pascal qui reviennent.

— Aucun signe de vie, fait Julien.

— Karine dit que c'était Isaac.

— Isaac? Qu'est-ce qu'il faisait ici? demande Pascal en regardant curieusement Karine.

— Je ne l'ai pas imaginé, dit froidement Karine.

— Je n'ai rien dit de la sorte.

— Non, mais tu le laisses croire. Je l'ai vraiment vu par la fenêtre de la salle de bains.

— Ça va, ça va, les interrompt Julien. Nous sommes tous un peu nerveux et de toute façon, Isaac est inoffensif.

— Personne n'est inoffensif, murmure Stéphane.

— Il est temps de rentrer à la maison. As-tu toutes tes choses? demande Julien à Karine en la prenant par les épaules.

Karine est incapable de se rappeler où elle a laissé son sac. Elle refait le tour de la maison et le retrouve dans la chambre de Stéphane. Quelqu'un l'a suivie.

— Tu ne peux pas te passer de moi, non?

C'est Stéphane qui la surprend ainsi et elle pousse un soupir de soulagement en le reconnaissant.

— Je pensais que tu voulais continuer la visite guidée.

— Tu veux dire qu'il y a autre chose à voir? fait-elle en riant. Stéphane entoure les épaules de Karine de son bras.

— Ma chère, vous trouverez ici plein de surprises et de suspense. TADA! clame-t-il. Voici la huitième merveille du monde.

Karine pouffe de rire car la huitième merveille du monde s'avère être un miroir pleine grandeur dans lequel Stéphane grimace derrière elle.

— Tu es une véritable merveille, dit Karine.

Dans cette salle de gymnastique, les murs sont couverts d'animaux empaillés. Des faisans, immobilisés en plein vol; des canards aux plumes soyeuses; un petit renard aux yeux de verre... Karine recule à la vue du daim, son long cou, ses yeux doux. Elle réprime avec peine un frisson de dégoût, une vague de tristesse... les yeux de l'animal lui rappellent ceux de Julien...

— Stéphane, marmonne-t-elle, ne voulant pas rester une minute de plus dans cette ménagerie.

— Tu n'approuves pas, fait-il, pas du tout surpris. Eh bien, ma mère non plus. C'est pourquoi je les cache ici. Je t'ai impressionnée avec mes instincts primaires de chasseur.

— Je... je ne comprends pas comment tu as pu... tuer ce daim. Ils sont si gentils et inoffensifs...

— C'est de les suivre... et la proie qui ne se méfie pas...

Stéphane a baissé la voix, les yeux fixés sur le daim.

— Oui, une proie inoffensive et tu l'abats. C'est ça le plaisir, soupire-t-il. Ils ne te voient pas, mais ils te sentent. Ils savent qu'ils vont mourir. Quelquefois tu peux même sentir leur peur, c'est si fort.

Karine le pousse sur le côté.

— Stéphane, je pense que tu as bu. Je m'en vais.

— Et ceci complète la visite. Il y a d'autres

choses, plus privées, plus exclusives. Je serais heureux de vous les montrer, madame.

Stéphane regarde Karine de bas en haut avec un petit sourire en coin. Karine sourit à son tour.

— Je me demande comment tu arrives à quitter tout ça pour aller à l'école.

— Pourquoi? fait Stéphane qui recule d'un bond, feignant la surprise. D'abord parce que mon père ne trouve jamais que je suis assez loin; deuxièmement, ma mère est embarrassée de me montrer ses nouvelles conquêtes et puis, enfin, cette place est une véritable prison.

Karine le regarde en silence, surprise. Les lèvres de Stéphane esquissent toujours un faible sourire, mais elles tremblent.

— Oui, une prison de privilèges!

Karine a l'impression d'être une intruse, de n'avoir aucun droit d'entendre de telles confidences. Stéphane se calme et sourit.

— Tout le monde pense que j'ai tout.

— Et c'est vrai? demande Karine d'une voix douce.

— J'ai l'habitude d'avoir ce que je veux, et ce que je n'ai pas... eh bien, je le prends.

Karine est vraiment mal à l'aise. Elle est contente d'entendre la voix de Julien qui l'appelle. Stéphane lui fait un grand salut.

— À notre prochaine rencontre!

— Stéphane, tu dois nous prêter ta jeep ou venir nous reconduire, crie encore Julien.

— Voilà ce que j'ai gagné à donner congé au chauffeur...

Karine est contente de rejoindre les autres. Elle s'assoit à l'arrière près de Julien et sent son bras autour de ses épaules. Quand ils arrivent au chalet, Pascal saute à terre et leur lance un regard froid quand Julien aide Karine à descendre.

— Je t'appelle demain, promet Dominique. Je connais l'endroit idéal pour un pique-nique, d'accord?

— Eh bien, quelques-uns d'entre nous doivent travailler pour vivre, dit Stéphane en lui passant la main dans les cheveux.

Les au revoir fusent de toutes les bouches et Karine suit les garçons à l'intérieur. Pascal va directement à sa chambre, mais Julien s'attarde près de la chambre de Karine jusqu'à ce qu'elle ait allumé la lampe.

— Julien, es-tu certain que tout va bien?

— Oui, et toi?

— Ça va, mais tu m'as vraiment terrifiée ce soir. J'ai vraiment pensé que...

— Chut... fait Julien, un doigt sur les lèvres de Karine. Moi aussi, mais tout va bien maintenant.

Karine a l'impression de voir une ombre traverser le visage de Julien.

— Qu'est-il arrivé ce soir, Julien? J'étais juste à côté de toi, puis il y a eu cette vague de fond. Pourquoi n'ai-je pas été emportée comme toi?

— Ce n'était pas une vague de fond, dit Julien à mi-voix.

Sur le coup, Karine pense avoir mal entendu. Puis les mots se frayent lentement un chemin jusqu'à son cerveau.

— Quoi...?

— Je sais ce qu'a dit Pascal, mais c'est faux. Je n'ai voulu effrayer personne. C'était quelque chose d'étrange — comme si un être vivant m'avait agrippé la jambe et m'avait tiré vers le fond. J'ai peut-être tout imaginé, mais j'ai été pris de panique...

Ses yeux se ferment un moment.

— Julien, soupire Karine.

— N'en parlons plus. Peu importe puisque tous les deux, nous sommes sains et saufs.

— Oui mais tu aurais pu...

— Il ne m'est rien arrivé, conclut-il, le sourire aux lèvres. Je pense même que je te dois une autre leçon de natation.

Karine ne peut détacher ses yeux des siens. Des yeux si bleus... si clairs...

— Bonne nuit.

— Bonne nuit.

Elle se glisse dans sa robe de nuit puis dans sa robe de chambre et s'installe dans son lit. Tant de choses sont arrivées aujourd'hui... Son regard tombe sur le tapis; les pistes y sont toujours, encore un peu humides, mais pas de trace d'algue. Elle regarde là où elle l'a vue; elle est pourtant certaine de n'avoir rien imaginé. Elle s'accroupit par terre et avance lentement du tapis à la porte, les yeux rivés sur le plancher. Aucune trace d'eau... *quand je suis arrivé dans ta chambre je n'ai vu aucune algue*... Quand les autres sont-ils entrés? Et où est allée cette algue?

Karine recommence son petit jeu, du tapis à la porte de la salle de bains. Ce qu'elle découvre alors la glace.

Elle ne l'avait pas remarqué d'abord, mais c'est comme si quelqu'un avait cherché à pousser une chose sous la porte et n'avait pas réussi à la cacher entièrement. C'est comme une trace de cheveu humide sur le plancher...

Karine passe des doigts tremblants sous la porte

et, horrifiée, touche quelque chose d'humide...

Elle retire sa main, mais l'algue y est collée comme une vieille peau morte qui s'envole quand elle la secoue. Karine presse ses deux mains sur son coeur, sa gorge et finalement dans les poches de sa robe de chambre. L'incrédulité se lit sur sa figure; elle vient de se rappeler les paroles de son amie Josée : *Il y a de l'écho, Karine. C'est comme si tu parlais dans un tunnel!* et elle a tant cherché à lui expliquer la note, mais Josée n'a pas saisi un mot...

Mais quelqu'un d'autre a compris.

Parce que, quand elle a raccroché, elle a entendu *deux* déclics, pas un...

Et maintenant, la note a disparu.

Chapitre 13

Le ciel commence à pâlir quand Karine sort du chalet le lendemain matin. Elle s'arrête dans les marches et glisse les bras dans son blouson mauve. Elle n'entend aucun bruit de pas, mais une ombre l'avertit que quelqu'un arrive derrière elle.

— Tu te lèves tôt, dit Pascal.

Karine sent son regard sombre sur elle. Elle regarde ailleurs.

— Comme toi.

— Je me lève toujours tôt, fait Pascal déjà grimpé dans sa jeep. Veux-tu que je t'emmène quelque part?

— Non... je voulais seulement me promener.

— D'accord.

Karine le regarde partir.

— Pascal! appelle-t-elle. Attends!

Elle attrape la poignée de la portière et son regard rencontre celui de Pascal. Il est froid et sombre. Elle a l'impression de sonder son âme et de n'y rien trouver. Le choc de sa découverte la ramène sur terre, à son air insolent et au pli impatient de sa bouche.

— Comment va Julien ce matin? demande-t-elle.

— Il dort. Pourquoi ne le lui demandes-tu pas toi-même? fait-il en montrant le chalet du pouce.

Il reprend le levier de vitesse, mais elle lui touche

le bras.

— Attends. Je veux te demander quelque chose d'important au sujet d'Élisa.

— Allez, monte, fait-il.

Elle s'assoit le plus loin possible de lui et il conduit lentement, les deux mains sur le volant. Ils suivent la plage jusqu'aux boutiques. Finalement, il arrête la voiture et se tourne vers elle.

— Alors, que veux-tu savoir? demande-t-il.

Karine prend une longue inspiration puis se décide.

— Je sais que tout le monde dit qu'Élisa a eu un accident. Qu'elle...

— S'est noyée, finit-il pour elle.

Elle cherche une émotion quelconque dans sa figure — remords, peine — mais rien ne transparaît.

— Pas nécessaire de prendre des gants blancs. Je ne suis pas choqué. De plus, j'ai accepté les faits.

— Mais Julien ne les a pas acceptés.

— Oui, je suis désolé pour Julien. Et pour mon père aussi. Est-ce cela que tu voulais entendre? Je suis désolé pour chacun quand il y a une tragédie. Et les tragédies arrivent tôt ou tard dans chacune de nos vies.

Malgré son blouson, Karine a la chair de poule.

— Mais tu ne penses pas non plus qu'elle s'est noyée, n'est-ce pas?

Une mouette lance son cri plaintif dans le lointain. De plus loin encore, arrive le sifflement d'un bateau.

— Je pense qu'elle s'est noyée, dit-il à la fin. Je ne pense pas que c'était un accident.

Toutes les craintes de Karine refont surface et lui serrent le coeur comme dans un étau.

— Alors... tu penses...

— Que quelqu'un l'a tuée.

Sa tête tourne... ou c'est peut-être le vent qui fait ce bruit dans ses oreilles... ou les yeux de Pascal dans les siens... ses yeux noirs si inhumains...

— Mais... pourquoi?

— Pourquoi? répète Pascal. Parce qu'elle était là. Parce que c'était la nuit idéale pour jeter quelqu'un du haut de la falaise. Fais ton choix.

Karine n'aime pas le ton détaché de sa voix. Il se penche vers elle, centimètre après centimètre, jusqu'à être tout près.

— Et tu penses qu'elle a été tuée, toi aussi. Pourquoi penses-tu ça? continue-t-il. Comment en es-tu arrivée à cette conclusion?

Karine fixe une tache sur le pare-brise. Elle n'aurait jamais dû aborder ce sujet avec lui, jamais dû monter dans cette jeep, jamais dû venir dans cette île...

— Je ne pense rien. J'essaie de comprendre, c'est tout.

— N'essaie pas, fait Pascal en se remettant face à la route. N'en fais pas une affaire personnelle. Tu pourrais t'en mordre les doigts.

Le cœur de Karine bat la chamade. Elle veut sauter de la voiture et se sauver loin de lui, mais ses yeux la retiennent prisonnière, l'obligeant à le regarder. *Tu vas t'en mordre les doigts...*

— Pouvons-nous retourner maintenant? marmonne-t-elle.

Pascal remet le moteur en marche et ils sont au chalet en quelques minutes. Plus une parole n'est échangée entre eux et, après l'avoir déposée, Pascal repart sans même lui jeter un regard. Karine s'assoit dans les marches, les dernières paroles de Pascal encore en tête. *Pourquoi Pascal est-il convaincu qu'Élisa a été tuée?* Elle est heureuse en voyant Dominique remonter le chemin, un gros panier à pique-nique à la main.

— As-tu dévalisé le restaurant de tes parents?

— Ça devrait nous aider à tenir jusqu'à la fête de la plage, ce soir.

— Quelle fête?

— Les garçons ne t'en ont pas parlé? Des gens ont réservé la plage pour une grosse fête et la loi exige qu'il y ait des sauveteurs.

— Alors pourquoi est-ce que nous irions?

— Parce que nous les accompagnons, fait Dominique, les yeux brillants. Personne ne t'a invitée?

— Dominique! Qu'est-ce que tu manigances encore?

— Rien, je le jure! Mais Julien est tellement timide qu'il a besoin d'un peu d'aide, n'est-ce pas, Julien?

Karine se retourne au moment où Julien ouvre la porte. Il a l'air endormi et embarrassé de s'être fait prendre.

— Bonjour, beauté au bois dormant, le taquine Dominique. Tu es en retard ce matin.

— Oui. Avez-vous vu Pascal?

— Je l'ai vu passer tout à l'heure. Il est sur la plage est aujourd'hui. À propos, n'as-tu rien à demander à Karine pour ce soir?

— Dominique! lance Karine.

Mais Dominique rit aux éclats.

— La fête sur la plage. Emmener une fille; des trucs comme ça, continue Dominique.

Julien rougit un peu.

— Tu fais tellement du beau travail que je pensais te laisser le lui demander pour moi.

— Je l'ai fait et elle a dit oui, répond Dominique du tac au tac.

Julien sourit et s'en va en courant. Dominique tire son amie par le bras.

— Viens, je connais un petit endroit merveilleux où nous pourrons manger et parler, prendre du soleil et manger encore, puis parler.

— Tu es vraiment impossible, Dominique.

— Le mot serait plutôt intuitive. Je ne sais pas si tu l'as remarqué, mais Julien a un faible pour toi.

— Je pense plutôt que pour l'instant, Julien a trop de choses qui l'empêchent de penser à moi ou à d'autres filles, fait Karine, l'air absent.

— Et toi, à quoi penses-tu? Tu as l'air drôlement sérieuse.

— Dominique, commence-t-elle en se tournant vers son amie et en prenant sa main, Dominique, j'ai vraiment peur.

— Karine, qu'est-ce...

— Il y a quelque chose qui se passe et que je ne comprends pas. Il faut que je t'en parle.

Dominique hoche la tête, mais elle garde ses questions jusqu'à ce qu'elles arrivent à l'endroit choisi derrière les dunes. Karine se renfrogne en voyant le phare qui se dresse sur la falaise.

— Crois-tu à cette légende des âmes des noyés qui hantent la tour? demande-t-elle tout en aidant Dominique à vider le panier.

— Je ne sais pas. Quelqu'un a dû commencer à raconter cette histoire pour éloigner les gens. Le phare peut s'effriter n'importe quand après tout. Mais je lui trouve quand même un certain air de noblesse. Les planchers sont effondrés et j'aimerais autant ne pas voir les bestioles qui se cachent là-dessous... dit-elle avec un frisson.

Karine arrache son regard de la tour; elle a toujours l'impression d'être surveillée. Elle pousse un soupir.

— Tu es la seule en qui je peux avoir confiance, Dominique. Quelque chose d'affreux se passe. Je pense que la mort d'Élisa n'est pas un accident.

— Quoi? crie Dominique. Tu commences à me faire peur. Raconte-moi tout.

Et c'est ce que fait Karine, en remontant à sa première soirée dans l'île et aux notes d'Élisa... celle avec son message de mort... le rire dans le phare... sa rencontre avec Isaac et leur étrange conversation... le rôdeur dans sa chambre... Isaac l'attendant une fois dans le noir... la disparition de la note d'Élisa et la découverte que quelqu'un l'avait écoutée au téléphone. Les yeux ronds, la bouche ouverte et immobile, Dominique l'écoute sans dire un seul mot.

— Que dois-je faire, Dominique? J'ai l'impression que j'aurais dû parler de cette note à quelqu'un, mais je n'étais pas certaine que le billet était sérieux.

Dominique hoche la tête comme une marionnette.

— Surtout que tout le monde pense que c'est un accident.

— Et maintenant, je ne peux plus rien faire, fait Karine, l'air misérable. Je n'ai aucune preuve.

— Oh, mon Dieu, murmure Dominique.

Soudain ses yeux s'ouvrent deux fois plus grands.

— Oh, Karine... si ce n'était pas un accident... penses-tu que quelqu'un l'a tuée?

Les mains plongées dans le sable, Karine évite de regarder son amie.

— Pascal le pense.

— Ça lui ressemble bien.

— Mais s'il a raison, Dominique...

Une brise les enveloppe. Elles sont isolées de la plage par les dunes, mais le phare est toujours là.

Encore ce même sentiment d'être observée. Comme si quelqu'un là-haut les regardaient.

— Qui voudrait tuer Élisa? demande Dominique en ouvrant un pot de yogourt. Et pourquoi? Elle était si mignonne et n'aurait jamais fait de mal à une mouche, alors pourquoi?

Karine repense aux événements de la veille, à l'entente qu'elle a passée avec Pascal. Elle décide de tout raconter à son amie.

— Écoute. Tu ne sais pas tout ce qui s'est passé hier soir.

— Oh! non. Qu'est-ce que tu veux dire? fait Dominique en laissant tomber les bras.

— Pascal a dit que Julien avait été charrié par une vague de fond, dit lentement Karine, mais Julien est un sauveteur, non? Il aurait su si c'était dangereux...

— J'y ai pensé, dit Dominique, mais comme Julien n'a rien dit d'autre...

— Non, Julien n'a rien dit, mais plus tard il m'a confié qu'il s'est senti tiré vers le fond par quelque chose. Et, continue-t-elle à regret, ce quelque chose m'a frôlée.

— Tu ne veux pas dire... un requin! Si tu as vu un requin, je...

— C'est là le problème. J'ai vu quelque chose qui ressemblait à un aileron. Mais Pascal m'a dit que ce n'était peut-être pas ça, que de la vraie peau de requin m'aurait coupée, et il faisait noir...

— Et Julien? N'a-t-il rien vu? demande Dominique en secouant lentement la tête.

Karine fait signe que non.

— Mais Dominique, plus j'y pense plus c'est étrange. Et si Pascal avait raison? Aurions-nous été épargnés tous les deux s'il y avait vraiment eu un requin?

— À quoi veux-tu en venir? questionne Dominique, les yeux agrandis.

— Je veux dire que quelqu'un essaie peut-être de nous effrayer?

Dominique éclate d'un rire hystérique.

— Et pourquoi quelqu'un ferait-il ça?

— Je ne le sais pas...

Elle continue à empiler le sable devant elle, mais elle voit plutôt le sable mouillé sous la pleine lune et Julien effrayé de son frère et cherchant son souffle.

— Je pense... commence Dominique, horrifiée, qu'ils en ont peut-être après toi et non après Julien.

La peur s'empare de Karine. Elle dévisage Dominique, mais elle se sent comme dans un brouillard. Dominique se penche et lui saisit le genou.

— Tu es celle qui a eu la note d'Élisa. Tu es la seule qui a eu une preuve qu'elle a été tuée...

— Mais je ne l'ai plus, marmonne Karine. Oh, Dominique... quelqu'un...

— Penses-tu à la même chose que moi?

— Il faut que ce soit lui. Tout le désigne.

— Isaac, chuchote Dominique.

— Il savait que je demeurais avec eux, récapitule Karine. Il m'a dit qu'Élisa était morte. Ça peut être lui qui a écouté au téléphone quand je parlais avec

Josée... Pascal m'a justement dit qu'Isaac était venu se servir de l'appareil — il l'a peut-être fait alors que j'étais déjà en ligne — et il a cherché ma chambre... et pris la note d'Élisa.

— Mais tu dis qu'il a affirmé n'avoir rien à faire avec sa mort... fait Dominique, la main serrée sur le poignet de Karine.

— Penses-tu qu'il va aller se livrer à la police? Tu dis toi-même que c'est lui qui a découvert les victimes sur la plage. Ils ont dû l'interroger.

— Oui, ils l'ont fait, mais il a toujours eu un bon alibi et puis personne n'a jamais pensé que c'était une histoire macabre impliquant un fou! Mais pourquoi Isaac se plairait-il à tuer des femmes? Et si c'est lui, pourquoi resterait-il ici où on peut l'attraper? Ça n'a aucun sens.

— Alors pourquoi était-il sur la plage hier soir après l'accident de Julien? demande Karine avec brusquerie. Pourquoi essayait-il de s'introduire chez Stéphane? Il ne pouvait pas vraiment se débarrasser de moi avec tout ce monde autour.

Dominique pâlit.

— Je ne le sais pas, marmonne-t-elle, les yeux horrifiés fixés sur le phare.

— Qu'est-ce qu'il y a?

— Il y a quelqu'un là-haut... quelqu'un qui nous observe.

Karine met les mains au-dessus de ses yeux pour les protéger des rayons du soleil et fouille la tour du regard.

— En es-tu certaine? demande-t-elle.

— Je te jure que j'ai vu quelqu'un. Pas maintenant, mais...

Elle arrête de parler, ramasse les gobelets de carton, la nappe et lance le tout dans le panier. Karine prend le thermos de jus et s'arrête d'un coup. Quelque chose lui revient à l'esprit des paroles que Pascal lui a dites il y a à peine une heure, quelque chose qui confirme ses peurs : *N'en fais pas ton affaire... tu t'en mordras les doigts...*

Elle comprend tout.

Elle regarde le phare, mais Dominique la prend par les épaules et l'oblige à lui faire face.

«*Bien entendu*, pense Karine la bouche ouverte de surprise, *bien entendu... Pascal sait que quelqu'un a tué Élisa... Isaac doit savoir qu'il sait... il tentait donc de tuer Pascal et non Julien qu'il a confondu avec son frère...*»

— Karine, fait Dominique en la secouant, nous devons parler à quelqu'un de tout cela.

— Mais comment? Nous n'avons aucune preuve. Personne ne va nous croire.

— Tu ne peux pas continuer à circuler avec quelqu'un qui sait tout, dit Dominique. Ce n'est pas prudent pour toi.

«*Pas prudent pour moi*, pense Karine, *tu t'en mordras les doigts...*» Elle regarde Dominique. Sa peau a la couleur de la craie.

— S'il a essayé une fois, il va recommencer, dit lentement Dominique. Il attend peut-être que tu sois toute seule. Ne comprends-tu pas?

Bien sûr qu'elle comprend. Toute la situation est très claire pour elle. Elle est prise dans un tourbillon de peurs infinies...

— Karine, ce corps que nous avons trouvé, ce doit être *lui*. Maintenant, il sait que *tu sais*.

Chapitre 14

Le sauveteur roule le papier entre ses doigts. Il adore jouer et ce jeu tourne exactement comme il l'avait prévu.

Karine est tellement jolie. Et tellement crédule. Si facile à effrayer.

Il a eu bien du plaisir à écrire cette note pour la laisser sous son oreiller, comme il en a eu à se glisser dans sa chambre et la reprendre.

Elle est encore plus jolie quand elle a peur. Elles le sont toutes d'ailleurs.

Il s'amuse de leur peur, de leur impuissance et de leur désespoir quand elles s'aperçoivent qu'il va les tuer...

Sauf Élisa...

Élisa a tout ruiné en le poursuivant...

Il ne voulait pas la tuer, mais il le devait, car elle savait...

Il presse les mains sur sa tête jusqu'à ce que le noir s'échappe de son esprit. Et il lit encore une fois la note.

Karine... je pense que quelqu'un veut me tuer...

Le sauveteur éclate de rire et jette le bout de papier dans le feu. Il le regarde jusqu'à ce qu'il soit réduit en cendres.

Chapitre 15

Karine traîne un peu sur la plage. Dominique est rentrée travailler; elle lui a promis qu'elles pourraient parler le soir à la fête. Elle récapitule les événements, mais il lui est difficile de se concentrer. Son pied bute contre un autre pied.

— Excusez-moi, madame, mais nous ne permettons pas les accidents sur cette plage, dit sérieusement Stéphane qui l'a entourée de ses deux bras.

Karine se dégage et ne peut s'empêcher de rire.

— Que fais-tu ici?

— Je travaille ici, si tu te rappelles bien?

Il pointe du doigt un kiosque de hot dogs.

— Qu'est-ce qui te tente?

— Pour déjeuner?

— Fais-moi confiance — tu ne le regretteras pas.

Il la conduit au comptoir où elle s'appuie.

— Salut!

Elle sursaute, rougit et sent la main de Julien dans son dos.

— Bonjour.

— Je déjeune.

— Je vois, fait-il alors que Stéphane revient avec deux hot dogs.

Il en donne un à Karine, renverse de la moutarde sur le pied de Julien et s'empresse de le nettoyer en frottant avec du sable.

— Je m'excuse pour ce matin, dit Julien. J'étais en retard. Vous avez fait un beau pique-nique?

— Désastreux si c'est Dominique qui l'a organisé! s'exclame Stéphane qui avale sa dernière bouchée de hot dog. On se voit toujours ce soir?

Julien prend le hot dog des mains de Karine et le jette dans une poubelle.

— Poison. As-tu des projets pour la journée?

— Je vais seulement marcher.

— C'est bien. Accompagne-moi à mon poste de sauveteur.

Ils saluent Stéphane qui passe en trombe au volant de sa jeep.

— Dominique n'aurait pas dû dire ce qu'elle a dit ce matin, dit Karine.

— Oui, c'est vrai. Je te l'aurais demandé de toute façon.

— Mais ne devez-vous pas travailler? Avez-vous la permission d'y aller accompagnés?

— Techniquement non, mais Stéphane connaît celui qui organise la fête et il s'est assuré que toi et Dominique seriez invitées. On leur a dit que vous faisiez partie de l'équipe de sauveteurs.

— Ça ressemble un peu à une comédie, dit Karine.

Ils rient tous les deux. Karine adore le rire de Julien : facile, faisant briller ses yeux bleus. Entendre ce rire lui fait croire un court instant que tout va pour le mieux...

— Au fait, mon père et ta mère sont partis sur le continent. Ta mère avait oublié de t'avertir.

Julien s'arrête, pose ses mains sur les épaules de

Karine et lui sourit.

— C'est ici que je m'arrête. Viendras-tu à la plage plus tard?

— Je ne sais pas, fait Karine, évasive. Je veux aller dans les magasins...

— Je donne des leçons gratuites, lui rappelle Julien.

— Et de quoi? demande-t-elle, taquine.

— Mais de natation, bien sûr. À quoi pensais-tu?

Karine sent encore la pression de ses mains sur ses épaules même après s'être éloignée sur la plage. Elle marche et sa tête est remplie du sourire, du rire et de la voix douce de Julien. Sans s'en rendre compte, elle se retrouve à l'extrémité de la plage.

Pendant un moment, elle a de la difficulté à s'orienter. À sa droite, il y a l'océan, à sa gauche, des bars et des boutiques. Au loin, on aperçoit le continent et juste devant elle, le traversier. Elle sourit, reniflant à pleins poumons l'odeur de la mer, du poisson, du sel et du bois pourri.

Son sourire s'évanouit lorsqu'elle aperçoit Isaac qui sort d'une péniche. Il gesticule et marche vers un autre homme qui l'attendait. Tous deux grimpent dans un bateau et partent vers le large.

Sans trop réfléchir, Karine descend la volée de marches qui mène au quai et suit la passerelle tout en gardant les yeux rivés sur le bateau qui s'éloigne. Son coeur bat à grands coups.

La voici à côté de la péniche d'Isaac. Personne autour. Ça pue. Ça pue comme un cimetière de vieilles choses oubliées... Elle saute sur le pont, puis à l'intérieur de la péniche. Pourvu que personne n'y attende Isaac.

L'endroit est une vraie porcherie. Elle en a la

respiration coupée. Il y a un lit recouvert de draps et de couvertures qui n'ont sans doute jamais été changés. Des bouteilles d'alcool vides traînent sur le plancher sale et l'air est imprégné d'une odeur de whisky mêlée à celles de l'urine et de la transpiration. *«Tu dois être complètement folle pour venir ici*, se dit Karine. *Imagine qu'il revienne... il est peut-être déjà sur le pont...»*

Un craquement la fait sursauter et elle étouffe son cri avec peine. Elle n'est pas en sécurité ici; elle doit sortir au plus vite. Le plancher oscille et elle se retient à une vieille armoire pour retrouver son équilibre.

C'est alors qu'elle aperçoit le couteau. Elle n'en a jamais vu d'aussi long et d'aussi laid. Quelque chose d'épais a séché sur la lame et n'a jamais été nettoyé. La pointe en est émoussée. La mort donnée par ce couteau doit être longue et douloureuse...

Elle recule, horrifiée. Mais autre chose retient son regard derrière le couteau — c'est rouge... rouge vif...

Elle avance la main pour y toucher. Quelque chose colle à ses doigts. Elle les retire bien vite.

Ce n'est pas du sang...

C'est un foulard.

Un long foulard rouge, comme celui qu'elle a vu sur la photo chez Éric.

Élisa le portait autour de son cou.

— Non, murmure Karine, oh non...

Quelque chose bouge dans le coin. Karine se retourne et pousse un cri. Un gros rat la fixe de ses yeux brillants.

Karine laisse tomber le foulard et s'enfuit à toutes jambes.

Chapitre 16

«Que vais-je faire? Karine claque la porte du chalet et s'y appuie. Aller à la police? Leur dire où aller chercher le meurtrier?» C'est à Dominique qu'elle devrait parler, mais cette dernière travaille et elle ne la verra pas avant ce soir. Devrait-elle parler à Julien? À Pascal? Il serait sûrement furieux mais au moins elle sait qu'il croit au meurtre d'Élisa. À Stéphane? Il penserait qu'elle veut lui jouer un autre tour...

Karine va jusqu'à la cheminée et prend la photo de la famille Cormier dans ses mains. Élisa et sa grande écharpe rouge... Elle sait que c'est ce foulard qu'elle a vu. Elle sait qu'Isaac l'a tuée. Mais pourquoi?

Tu vas t'en mordre les doigts...

Elle pourrait peut-être faire un appel anonyme à la police et raccrocher avant qu'on identifie l'endroit d'où provient l'appel. Elle se rend à la cuisine et va décrocher l'appareil au moment où il sonne.

— Karine? Allô? Il y a quelqu'un?

Karine tremble tellement qu'elle a peur de laisser échapper le récepteur.

— Maman? C'est toi? Il faut absolument que je te parle.

— Écoute, chérie, je n'ai qu'une seconde. Éric est à l'hôpital. M'entends-tu bien? J'ai dit, Éric est à...

— Je t'entends maman, dit Karine, assommée. Que lui est-il arrivé?

— Les médecins ne pensent pas que ce soit trop sérieux. Il s'est effondré. Il se repose pour l'instant.

— Effondré?

— Oui. C'est son coeur. On pense que c'est à cause de tout le stress qu'il a subi. Il doit rester ici quelques jours. Veux-tu prévenir les garçons?

— Ils ne sont pas ici. Je suis seule...

— C'est le choc, ma chérie. Trop c'est trop. Tâche de t'amuser quand même et de ne pas t'en faire.

Puis un déclic et Karine reste là, à regarder le téléphone muet. Le dire aux garçons. Comme ça. *«Votre père a eu une petite crise cardiaque et j'ai trouvé le meurtrier de votre soeur. Bravo, Karine.»*

Elle s'oblige à retourner sur la plage. Il vente; elle doit courber les épaules pour avancer. Elle aperçoit la jeep venir dans sa direction et elle fait de grands gestes.

— Est-ce qu'il y a le feu? la taquine Stéphane.

— Pas exactement le feu, répond-elle, mais Éric est à l'hôpital.

— Sans blague, fait Stéphane. Est-ce grave?

— Non, mais ils doivent le garder quelques jours.

— Son coeur encore?

Karine fait signe que oui de la tête.

— Je vais retrouver Julien et je pense que Pascal est sur la plage est. Comment le rejoindre?

— Ne t'en fais pas. Julien est avec lui. Je vais les appeler.

Karine pousse un soupir de soulagement et lui sourit.

— Je ne voulais pas leur dire...

— Je sais. Mais c'est honteux. Qu'est-ce qui pourrait encore arriver de plus?

«Si seulement il savait, pense Karine. *Dis-lui maintenant... dis-lui d'appeler la police pour qu'ils aillent à la péniche d'Isaac.*»

— Stéphane...

— Je te revois plus tard, d'accord?

Il lui serre le bras, l'abandonnant avec tous ces mots sur les lèvres. Karine décide donc de retourner au chalet d'Éric. Elle s'étend sur le divan, les yeux fixés sur la photo de famille. Le sourire d'Élisa est si charmant, si doux... un peu comme celui de Julien — la même douceur, la même timidité. *Pourquoi les innocents doivent-ils souffrir?* Elle enfouit son visage au creux de son bras, tentant de chasser l'image du daim accroché au mur de la chambre de Stéphane, tentant de rester éveillée... de chasser la voix qu'elle entend...

«*Ne lutte pas... ce sera plus simple si tu es calme...*»

Et le grondement revient comme il le fait toujours... un bruit inconnu et un cri distant...

Mais elle lutte... avalant de grandes bouffées d'air jusqu'à la seconde terrifiante où l'eau commence à s'engouffrer...

«*J'essaie de tenir le coup, papa... j'essaie.*»

Karine pousse un cri et s'assoit toute droite sur le divan. Elle cherche à reconnaître le bruit qui l'a réveillée.

La pièce est sombre; le crépuscule s'installe derrière les fenêtres. Elle glisse jusqu'à la porte, essayant de voir sur la galerie sans être vue. A-t-elle entendu un rire? Des images d'Isaac lui reviennent: :

le couteau, le rat. S'il fallait que ce soit Isaac et qu'il sache qu'elle est seule dans la maison...

Le bruit reprend et Karine voit enfin les branches d'arbres frapper les carreaux. Une odeur de pluie lui parvient par la fenêtre ouverte. Il est tard, presque dix-huit heures trente. Elle prend son blouson mauve et s'éloigne vers la plage, guidée par la lumière. Julien arrive bientôt à sa rencontre.

— Où étais-tu? Je m'apprêtais à appeler la garde côtière, blague-t-il, avec un air un peu inquiet.

— Je m'étais endormie, répond Karine, contente de l'intérêt qu'il lui porte.

— Mais j'ai regardé dans ta chambre...

— Non, j'étais dans le chalet de ton père. J'aurais dû vous laisser une petite note.

Des émotions passent rapidement sur la figure de Julien, mais il arrive à se contrôler.

— C'est seulement que... avec tout ce qui est arrivé...

— Je sais. Ça va.

Sans se rendre compte de ce qui se passe, Julien l'attire contre lui. Karine ferme les yeux et mets ses bras autour de sa taille. Julien tremble.

— Si quelque chose devait t'arriver... commence-t-il et Karine se laisse aller contre lui.

— Si vous parvenez à vous séparer l'un de l'autre, lance Stéphane qui arrive à leur hauteur, il y a plein de choses à faire là-bas.

Julien se retourne pour le suivre, mais il garde son bras autour du cou de Karine.

— As-tu des nouvelles de papa?

— Non. Pas de nouvelles, bonnes nouvelles.

— Peut-être. Je ne sais pas comment tu te sens, mais moi, je n'ai pas vraiment le coeur à la fête ce soir.

— Quoi? fait Stéphane. Personne n'est jamais assez fatigué pour refuser de faire la fête! Ça guérit tous les maux! De plus, tu es payé pour le faire.

— Dominique est-elle arrivée? demande Karine en regardant autour d'elle.

La fête se tient sur la plage, pas très loin du vieux phare. On peut apercevoir les falaises quand la lune veut bien se montrer. Le ciel est nuageux et le vent ne cesse de souffler. Aucune étoile.

— Nous devons allumer ces projecteurs, fait Julien et Stéphane suit son regard.

— Oui, mais je ne pense pas qu'ils soient très efficaces.

— Les feux seront peut-être plus utiles.

Stéphane s'éloigne et Julien lui emboîte bien vite le pas.

— Tu vas devoir te débrouiller sans moi, dit-il à Karine avant de partir.

— Ne crains rien pour moi.

La plage est magnifique sous la lumière des feux. Le sable et les rochers brillent comme des charbons ardents. À travers la musique, on entend les danseurs, le bruit du bois qui brûle et les gémissements du vent.

— Dominique! s'écrie Karine.

Elle fait de grands signes et se fraie un chemin jusqu'à son amie.

— Te voilà enfin! lance-t-elle en s'arrêtant soudain devant les yeux rouges et la figure bouffie de son amie.

— Dominique... qu'est-ce...

— Stéphane et moi, nous nous sommes encore querellés. Rien de bien extraordinaire.

— Mais je viens de le voir. Il a l'air tout à fait normal.

— Il l'est toujours. Je vais danser avec tous les gars, ce soir. Je ne lui parlerai plus jamais.

Karine s'approche d'elle.

— Dominique, je suis désolée pour toi et Stéphane, mais je dois te parler. Peux-tu tout oublier pendant cinq minutes? J'ai la preuve qu'Isaac a bien tué Élisa.

— Tu as quoi?

Elles s'éloignent toutes les deux de la foule et s'installent derrière les projecteurs dans les dunes.

— Écoute-moi bien, Dominique. Tu te rappelles la photo qui est sur le manteau de la cheminée chez Éric? Celle de toute la famille?

À chaque question, Dominique acquiesce d'un signe de tête.

— Le foulard qu'Élisa a au cou... Isaac a ce foulard! Comprends-tu?

— Où? fait Dominique, étonnée. Comment sais-tu cela?

— Parce que je l'ai vu dans sa péniche.

Les yeux de Dominique sont aussi ronds que des soucoupes.

— Quoi?

— Oh, Dominique, je sais que je n'aurais pas dû, mais je n'ai pas pu résister!

Dominique regarde son amie comme si elle était devenue folle.

— Je ne suis pas folle. J'y suis réellement allée.

— Mon Dieu!

— Il y avait aussi un couteau. *Aussi long que ça*, je te le jure. Et le foulard d'Élisa était juste à côté.

— Le foulard d'Élisa...

— Nous devons le dire à quelqu'un. Les gens doivent savoir qu'Élisa n'a pas eu qu'un simple accident. Ils doivent savoir qu'un meurtrier se promène librement sur l'île...

— Alors, que vas-tu faire? Avertir la police?

Dominique est complètement affaissée, la cannette de boisson gazeuse qu'elle tient à la main se renverse lentement sur le sable.

— Je pensais... le dire à Pascal.

— À Pascal! Mais pourquoi?

— Je te l'ai dit pourquoi. C'est le seul qui croit qu'Élisa a été tuée. Les policiers l'écouteront peut-être s'il leur parle d'Isaac?

— S'il leur dit quoi à propos d'Isaac? demande une voix qui n'est ni celle de Karine ni celle de Dominique.

Les deux filles ne bougent plus, paralysées. Pascal, Julien et Stéphane sont tout près d'elles sur le sentier. Leurs figures sont impassibles.

— Je ne peux pas le croire, marmonne Stéphane. Vous êtes vraiment spéciales, vous deux.

— Qui vous a permis de nous espionner? hurle Dominique. Vous êtes mal élevés!

Pendant une seconde, Karine pense que Pascal va éclater de rire, ce qui ne va pas aider les choses.

— C'est Isaac qui l'a fait! lance-t-elle, triomphante. Il a tué Élisa.

Julien a l'air assommé.

— Il s'est confessé, bien entendu, ajoute Pascal, plus pour lui que pour Karine.

— Mais non, il ne s'est pas confessé! lâche Karine. Il a dit qu'il n'avait rien fait, mais qu'il savait qui l'avait fait! Mais il ment!

— As-tu des preuves? demande Pascal.

— Le foulard d'Élisa, dit Karine à voix basse. Il était sur une malle dans la péniche d'Isaac, à côté d'un couteau plein de sang.

— Un couteau plein de...

Les lèvres de Pascal ébauchent un sourire.

— Je vois. Des preuves très évidentes.

Stéphane éclate de rire.

— Vous êtes impayables, les filles.

— C'était le sien. Le même que sur la photo...

Julien la dévisage, comme si les mots n'arrivaient plus à sa bouche. Pascal regarde le sable, les rochers puis les nuages.

— Oui, eh bien, j'imagine qu'Élisa était la seule fille au monde à posséder un foulard rouge.

Dominique déglutit avec bruit. Karine se sent rougir.

— Je ne peux pas croire que ça ne vous fait rien. Je pensais que...

La main de Pascal se referme sur son bras et elle fait une grimace.

— Tu ne sais rien de tout ça. Rien. Peut-être que le foulard n'est même pas à elle. Personne ne sait ce qu'elle portait ce soir-là. Ou peut-être était-ce le sien? Et Isaac l'a trouvé sur les rochers. As-tu pensé à ça?

— Eh bien... non... mais...

— Et tu vas dire aux policiers que tu es entrée par effraction. Ça m'étonne que tu n'aies pas pris le foulard! Ils auraient pu t'accuser de vol!

Karine tremble de tous ses membres, en partie de rage et en partie à cause de la sortie de Pascal. Dominique n'a pas proféré un son. Peut-être s'est-elle évanouie?

— Je pensais.. que toi au moins...

— Tu ne sais pas ce que moi je pense, fait Pascal en la secouant. Tu ne sais pas ce que je ressens ou ce que...

Une expression étrange traverse sa figure, puis le fait se taire, comme s'il avait perdu le fil de ses idées. Un air que Karine ne peut reconnaître : peur? surprise? regret d'avoir trop parlé? Il la repousse et s'éloigne, mais plusieurs minutes s'écoulent avant que quiconque ne parle.

Stéphane commence à rire doucement, puis de plus en plus fort, jusqu'à en pleurer.

— Vous êtes complètement folles, Karine Holmes et Dominique Watson!

Il secoue la tête et s'éloigne en riant encore. Julien baisse la tête.

— Écoute... Karine...

— Oh, pars et laisse-moi seule.

Elle va rejoindre Dominique sans le regarder. À la fin, il retourne à la plage.

— Merci de tout coeur, les gars! fait Dominique en donnant de grands coups de pied dans le sable.

Karine la regarde sans un mot.

— Nous aurions dû nous en douter. Je pensais qu'au moins Julien nous croirait. Nous n'avons plus besoin d'eux. Qu'est-ce qui leur prend? On dirait qu'ils ne veulent pas connaître la vérité! Comme s'ils se mettaient à protéger Isaac tout d'un coup! Comment peuvent-ils être si certains qu'il ne l'a pas tuée?

Karine ne répond pas. Elle fixe les feux sur la plage, la mer qui scintille... mais ce qu'elle voit est l'expression étrange de Pascal qui la glace jusqu'au sang.

Chapitre 17

Le sauveteur se tient dans l'ombre, conscient des bruits de voix sur la plage.

Ils n'ont aucun droit d'être ici — c'est sa plage et il y a tant à faire...

Isaac! Isaac sait qui l'a fait!

C'est bien triste de devoir s'en débarrasser — il aime vraiment Isaac — mais il n'a plus le choix.

Et Karine... eh bien... ce n'est qu'une question de temps et elle comprendra...

Les gens comme elle s'en mordent les doigts...

Il couvre sa figure de ses mains et sent la sueur froide lui couler dans le dos. Il se sent toujours comme ça — malade, triste et vide — quand la partie doit se terminer. Quand il est obligé de faire ce qu'il a à faire.

Comme l'été dernier avec Roxane... la préparation... l'attente... et puis cela a été si facile de l'attirer dans l'eau...

Un de ses meilleurs trucs.

Il sourit et s'avance vers la lumière, ombre invisible dans la foule.

Ce soir, il les aura tous les deux.

Pauvre Karine...

Aucun sauveteur ne peut l'aider.

Chapitre 18

— Je n'aime pas l'allure de ce ciel, annonce Julien en repoussant la mèche de cheveux qui lui tombe devant les yeux.

— Moi non plus, ajoute Pascal. Est-ce que quelqu'un a entendu la météo?

— Possibilité d'orage, mais pas avant demain, fait Stéphane, avant de siffler pour mettre fin à une bagarre. Hé! Bande de clowns, crie-t-il, arrêtez ça tout de suite!

Karine et Dominique regardent Julien et Pascal courir dans l'eau pour séparer les deux garçons. Stéphane est satisfait et Dominique lui lance un regard acide.

— Tu ne bois pas? Ou ton sifflet est peut-être arrosé d'alcool?

— Je suis en devoir, ma belle.

— Eh bien, moi, je ne suis plus en devoir. De façon permanente.

— N'essaie pas de me donner une leçon, Dominique! Ne pense même pas me rendre jaloux. Ça ne marche pas! Tu es fichue si seulement tu essaies de le faire!

Karine en a le souffle coupé. La figure de Stéphane a l'air irréelle, moitié dans la lumière, moitié dans l'ombre.

— Penses-tu qu'il va y avoir un orage? demande-t-elle pour changer de sujet.

Elle aurait préféré ne plus leur adresser la parole, mais un sentiment de malaise l'envahit et les nuages amoncelés au-dessus de leurs têtes n'arrangent rien.

— Eh, ne t'inquiète pas, fait Stéphane en se penchant vers elle. Il y aura toujours un sauveteur pour toi.

Elle ignore sa repartie.

— Y a-t-il des toilettes ici?

— Si tu parles de ces gracieuses petites cabines portatives, elles sont juste derrière, dit Stéphane le doigt pointé vers les dunes. As-tu besoin d'une escorte?

— Non merci. Je pensais que tu accompagnais quelqu'un d'autre.

Elle s'éloigne, mais sa voix l'arrête.

— Karine?

Karine est surprise du changement d'attitude de Stéphane. Il est tout à coup gentil, embarrassé.

— Écoute... à propos de ce qui s'est passé tout à l'heure, je n'aurais pas dû rire. Je sais que tu essaies d'aider. Tu es très gentille pour Julien. Pour nous tous. Je suis vraiment content que tu sois ici.

Karine ne sait quoi répondre. Elle le voit soudain repousser ses épaules en arrière comme s'il endossait sa vieille personnalité.

— Le plus grand parmi les grands a parlé, dit-il en faisant un salut.

Karine lui sourit et emprunte le sentier qui mène derrière les dunes. Elle est contente de ne pas trouver une file devant les cabines, mais en même temps elle est un peu effrayée de s'y retrouver seule car il

fait noir. En revenant, elle évite les endroits sombres. Elle aimerait bien savoir où est partie Dominique. Comment savoir où se terminent les rochers et
où commencent leurs ombres; ils ont l'air de créa-
tures de la nuit postées là pour l'attraper.

Et l'un d'eux le fait justement.

Karine sent la prise sur son poignet et voit une
ombre s'interposer entre le ciel et elle. Elle veut
crier mais une main pressée sur sa bouche l'en em-
pêche. Une odeur intolérable de vomissure et de
whisky la submerge.

— Tu ferais mieux de ne pas crier, ma fille.

Karine sent une haleine acide souffler dans son
cou.

— Je vais disparaître tellement vite que tu pense-
ras être folle.

Le corps tout entier de Karine est secoué comme
par un battement de coeur géant.

— Je sais que tu es allée chez moi. Je sais que tu
as fouillé, fait-il en riant.

Karine tente de s'échapper, mais il la tient encore
plus fermement.

— Tu penses que je l'ai tuée, hein? Je sais ce que
tu penses. Tu fais mieux de ne pas parler contre
Isaac. Tu ferais mieux de t'en faire pour toi!

Karine a peur qu'il lui brise le cou; il lui penche
lentement la tête en arrière jusqu'à ce qu'elle puisse
voir le bandeau sur son oeil et les rides sales de sa
figure. Son haleine lui arrive une autre fois et l'é-
touffe.

— Tu en sais trop, siffle-t-il. Prends garde. Parce
que je pourrais bien te trouver sur la plage un matin,
comme toutes les autres...

D'un mouvement brusque, Karine réussit à se dégager et elle enfonce ses dents dans la main d'Isaac jusqu'à ce qu'elle goûte le sang. Avec un cri de douleur, Isaac s'enfuit vers les dunes et Karine crie de toutes ses forces.

— Julien! Julien! Quelqu'un, aidez-moi!

Elle pense d'abord que ce sont ses propres cris qui rebondissent sur les rochers, qui lui reviennent comme dans un cauchemar...

— Au secours! Au secours!

Elle s'arrête, confuse. Derrière elle, le sentier est désert. Devant, la fête se poursuit, indifférente à ses cris. Mais il y a quelqu'un qui a crié... qui crie encore...

— Au secours... je me noie... au secours...

C'est loin, mais en même temps terriblement près. Le bruit de l'eau brassée, l'impuissance, la terreur folle...

Karine ouvre les yeux et court vers le rivage. «Mon Dieu, où est-elle?»

— Au secours!

«Où est tout le monde? Ne peuvent-ils pas entendre?»

— Au secours! crie-t-elle. Où es-tu?

Quelque chose pointe à la surface de l'eau. Une vision d'horreur : des bras sortent, se débattent, essaient de s'accrocher et disparaissent de nouveau...

— Julien!

Karine court vers la lumière. Elle crie et crie encore. Va-t-elle seulement pouvoir s'arrêter?

— Julien!

Mais quelqu'un l'a enfin aperçue. Les gens courent vers elle : Stéphane vient d'une direction, Pascal, d'une autre, Julien encore d'une autre... Pascal arrive le premier et tente de déchiffrer le langage hachuré de Karine.

— Vite... quelqu'un... se noie...

— Quoi?

Les dents lui claquent dans la bouche alors qu'il la secoue.

— Karine, où? En es-tu certaine?

— Oui... je l'ai entendue... elle se noie.

Elle sent la gifle de Pascal sur sa joue, elle entend Julien lui dire d'arrêter, puis ils partent tous à la course. Karine les conduit vers l'endroit où elle a vu le corps.

Ils l'abandonnent sur la plage. Karine les regarde se jeter à l'eau, nager, plonger. Stéphane revient pour appeler une équipe de secours. La fête est arrêtée; tout le monde court en tous sens. Plein de gens observent les sauveteurs de la plage.

— Je ne peux pas la trouver! crie Julien.

— Reviens! crie Stéphane.

— L'équipe de secours est ici, Julien. Reviens! crie à son tour Pascal.

— NON!

Quelqu'un prend le bras de Karine et se colle contre elle. C'est Dominique, les yeux agrandis de peur. Elles se tiennent sans un mot. Le silence s'étire jusqu'à ce que Pascal le rompe.

— Julien! Reviens... tu ne peux rien faire de plus.

Aussi longtemps qu'elle vivra, Karine ne pourra jamais oublier la voix de Julien à ce moment-là.

— Je ne peux pas la trouver, Pascal. Je ne peux trouver personne, dit-il, désespéré.

— Reviens!

— Pascal! Quelqu'un! Pour l'amour du ciel, *je ne peux pas la trouver!*

Chapitre 19

— Je ne le crois pas! fait Stéphane la main sur le téléphone, tourné vers eux.

— En es-tu certain? demande encore Pascal. Sont-ils certains?

Julien regarde le plancher comme s'il était hypnotisé.

— Ils ont vérifié et revérifié, répond Stéphane en se laissant tomber sur une chaise. Ils disent que tout le monde a une version différente de l'histoire. La plupart pensent que c'est une blague, mais d'autres sont fâchés parce que la fête est un gâchis.

Dominique serre le bras de Karine, mais elles ne bougent pas.

— Personne ne manque, dit encore Stéphane, et personne ne rapporte aucune disparition.

— Si Karine a vu quelqu'un, c'est qu'il y avait quelqu'un! rétorque Dominique.

Il y a de l'électricité dans l'air. Karine enlève les mains devant sa figure et regarde les garçons un après l'autre.

— Je sais ce que vous pensez. Je n'ai rien imaginé. C'était aussi réel que vous l'êtes. J'ai entendu une fille crier et je l'ai entendue se débattre dans l'eau.

La bouche de Pascal se réduit soudain à une mince ligne.

— Comment sais-tu que c'était une fille?

— Parce que la voix était celle d'une fille! crie Karine. Je l'ai entendue et je l'ai vue couler! Je me fiche de ce que vous pensez!

— C'est déjà arrivé avant, dit Dominique d'une voix douce.

Les autres la regardent d'un air malheureux.

— Allons, dit un peu trop vite Stéphane. Tu ne peux pas...

— C'est vraiment arrivé avant, fait Julien les yeux perdus dans quelques vieux souvenirs. Roxane, cet autre sauveteur, elle avait entendu quelqu'un qui criait la nuit où elle s'est noyée... sauf...

— Sauf qu'il n'y avait personne dans l'eau, continue Pascal. Rien que Roxane. Oui, j'en ai entendu parler. Pourquoi ramener tout ça à la surface?

— J'ai vu quelqu'un, chuchote Karine.

Stéphane observe une tache au plafond pendant quelques longs instants avant de parler.

— Mais c'est la police qui vient d'appeler, Karine, et...

— Elle sait ce qu'ils ont dit, Stéphane, elle n'est pas *sourde*! s'écrie Dominique.

Karine saute du fauteuil, sort de la maison et part vers l'océan.

— Je te déteste! crie-t-elle en levant les bras vers la mer. *Je vais toujours te détester!*

Elle tombe à genoux dans le sable et pleure alors que tous les souvenirs lui reviennent en mémoire.

— Je te déteste...

Elle pleure jusqu'à ce que son corps fatigué s'écroule sur la plage. Elle ne bouge plus. Soudain elle sent la présence de quelqu'un assis près d'elle... Il lui tend un mouchoir. Elle se décide à lever les yeux.

C'est Pascal.

— Va-t'en, dit Karine. Je ne veux pas te parler.

Elle se mouche et essuie ses yeux.

— Dis-moi encore ce que tu as vu, lui dit tranquillement Pascal.

— Non. Je te l'ai dit un million de fois. Penses-tu que je ferais une blague pareille? Que je vous lancerais, Julien ou toi, dans une telle histoire?

Elle s'interrompt et reprend lentement le contrôle de ses émotions.

— Tu l'as vu ce soir... continue-t-elle. Il avait l'air d'un fou. Ça m'a brisé le coeur.

Un long silence s'installe entre les deux, entre la mer et le vent. Karine frissonne et se presse contre le sable.

— Et quoi d'autre le brise, ton coeur? demande Pascal.

Karine se raidit, prête à se défendre, mais elle n'a plus la force.

— Mon père est mort il y a deux ans. Nous étions à la mer et avons fait un tour de bateau, explique-t-elle, retenant sa respiration si longtemps qu'elle a peur que sa tête n'explose. Elle respire plus lentement et continue :

— On ne sait pas comment c'est arrivé... le bateau s'est renversé. Papa a réussi à me sauver... mais il... s'est noyé.

À côté d'elle l'ombre se penche. Elle sent la cuisse de Pascal contre son bras.

— Je le vois encore... J'ai de ces rêves qui sont si réels... Je le vois m'approcher et me dire de ne pas lutter... que ce sera plus facile...

Elle ne peut retenir ses larmes et quand elle réussit enfin à se calmer, Pascal est toujours là.

— Eh bien maintenant que tu sais tout, tu dois regretter de me l'avoir demandé.

— Et j'imagine que je dois te blâmer ou me sentir mal pour toi parce que tu es vivante et que ton père est mort. C'est ça?

Karine est furieuse.

— Il est mort en me sauvant la vie! Ne comprends-tu pas? Il était le plus merveilleux, le plus...

— Un saint, oui, je vois, dit Pascal, la main levée pour l'arrêter. Je t'en prie, épargne-moi les détails.

— Comment peux-tu parler comme ça?

— Je comprends, répond Pascal, que certaines choses incontrôlables nous arrivent. Il n'y a pas d'explication et elles n'ont aucun sens. Qu'elles soient bonnes ou mauvaises elles n'ont rien en commun avec nous.

Son regard sombre est plongé dans le sien.

— Je comprends que tu as une seconde chance. Le conseil que je te donne est de ne pas la saboter.

Karine lui lance un regard courroucé.

— Eh bien, je serai peut-être morte demain matin. J'espère que tu seras content!

— Morte! De quoi? De t'apitoyer sur ton sort?

— Ça t'intéresse sans doute de savoir qu'Isaac m'a presque étranglée ce soir! ne peut-elle s'empêcher de crier.

— Que veux-tu dire?

— Il a menacé de me tuer! Il a dit que je pouvais me retrouver rejetée par la mer comme les autres.

Karine ferme les yeux et s'empresse de chasser l'image de la fille... dans les hautes herbes... près du phare...

— Isaac a dit ça? fait la voix basse de Pascal.

— Il m'a vue entrer dans sa péniche aujourd'hui, admet Karine à contrecoeur. Il m'a encore dit qu'il n'avait pas tué Élisa... mais...

— Mais quoi?

— Ce qu'il m'a déjà dit. Qu'il sait qui l'a fait.

Pascal ne la regarde plus. Il fixe la mer et le vent dans ses cheveux lui donne un air terrifiant.

— A-t-il dit qui c'était? demande-t-il.

— Non. Juste qu'il savait, mais il ne m'a rien dit.

Quelque chose bouge sur le sentier derrière eux et Pascal est sur pied en une seconde.

— Relaxe, fait la voix de Stéphane dans le noir. C'est nous.

Pascal n'apprécie pas de se sentir espionné. Il tire Karine par un bras pour la remettre debout.

— Qu'est-ce que vous voulez?

— Nous étions inquiets, dit Dominique, peu encouragée par la froideur de l'accueil.

— Alors le vieux Isaac connaît le meurtrier, hein? Cette île est truffée de détectives, ajoute Stéphane en riant.

— Ce n'est pas drôle, Stéphane, lance Dominique.

— Mais oui, c'est drôle. Presque aussi amusant que toi et Karine.

Il prend Dominique par le bras, mais elle se dégage aussitôt.

— Allons, sois une grande fille et sers-toi de ta tête, tu sais l'endroit où il y a un cerveau?

— Écrase, Stéphane, murmure Dominique en s'éloignant.

— Dominique! crie Karine, impuissante.

— Salut, Karine! lui répond Dominique. Viendras-tu marcher sur la plage, demain matin?

— Oui, mais attends, Dominique! fait Karine en courant derrière elle.

Les garçons reviennent à leur tour vers la maison.

— Dominique.

— Je le sais, c'est ma faute, fait Dominique avec un faible sourire. C'est un muffle et je suis idiote.

— Non, tu n'es pas idiote. Je pense que Stéphane t'aime plus que tu ne le penses... plus qu'il ne le sait lui-même.

— C'est à ton tour d'avoir la tête vide, fait Dominique, blagueuse malgré tout. Veux-tu me prêter ton blouson? C'est un peu froid pour marcher jusqu'à la maison.

— Attends Julien, suggère Karine, il te reconduira.

— Non, merci.

Dominique enfile le blouson et enfonce ses mains dans les poches.

— À demain matin!

Karine s'en va vers la maison. Les garçons sont tous dans la cuisine, s'amusant sans doute à ses dépens, suppose-t-elle.

Plus tard, quand elle entend frapper à la porte de sa chambre, elle répond presque méchamment.

— Qui est-ce?

— C'est moi, Julien.

Karine ouvre la porte et ils s'observent tous les deux. Les yeux de Julien sont cernés et ses joues sont creuses. Les derniers jours ont laissé leur marque.

— Je voulais savoir... comment... voir si tu...

— Si je vois toujours des choses?

Elle se retourne et va s'asseoir sur le lit.

— Écoute, dit Julien. Je ne sais pas ce qui s'est

passé là-bas ce soir... ce que tu as vu ou entendu. Quelque chose t'a terrifiée. Je suis devenu presque fou pendant une minute en cherchant quelqu'un que je me suis imaginé être Élisa... Et puis, je suis désolé pour ton père.

Alors lui et Stéphane ont aussi entendu cette partie. Karine se raidit quand Julien vient s'asseoir près d'elle.

— Ceci a dû être un vrai cauchemar pour toi.

Une fois encore, Karine se laisse séduire par la voix chaude de Julien. Il la prend par le cou et la force à le regarder. Ses yeux sont si bleus...

— Karine, murmure-t-il.

Ses lèvres touchent les siennes et il la tient dans ses bras, la serre...

— Karine, murmure-t-il une autre fois, pressé contre elle, Karine... j'ai besoin de toi...

Elle ne veut pas qu'il s'arrête, elle ne veut pas quitter ses bras, mais elle est presque soulagée quand le bruit des pas de Pascal les ramènent à la réalité.

Julien se lève et, sur le pas de la porte, lui sourit par-dessus son épaule.

— Est-ce que ça va aller ou préfères-tu que je reste?

Le coeur de Karine bat la chamade.

— Je... vais pouvoir dormir.

— À demain alors. Bonne nuit.

Longtemps, Karine regarde la porte et la place où Julien s'est assis sur le lit. Elle s'installe finalement sous les couvertures et ferme la lumière. Elle sourit en pensant aux bras de Julien.

Toutes les peurs, tous les dangers s'évanouissent dans le bleu des yeux de Julien.

Chapitre 20

Le sauveteur se presse contre le mur du phare, ses yeux exorbités fixés sur les rochers.

Ce n'était pas elle!

Ça n'aurait pas dû arriver. Pas alors qu'il avait si bien planifié son coup...

Le vent fait le même tapage qu'à l'intérieur de sa tête : hurlements et grincements. Hurlements comme ceux qu'elle a poussés... qu'elle a poussés jusqu'à ce qu'elle tombe sur les rochers et reste tranquille...

Il reprend son souffle encore hanté par son cauchemar.

C'est à cause de Karine, tout ce qui est arrivé.

La faute de Karine.

Elle a dit qu'elle marcherait sur la plage le lendemain matin... il l'a entendue le dire... il l'a attendue patiemment... il a attendu que le blouson mauve fasse son apparition sur la plage... il l'a suivie... il a choisi le meilleur moment...

Et il a senti ce frisson de joie... cette invincibilité qu'il a toujours quand elle est près de lui...

Sauf que ce n'était pas Karine.

Ce n'est pas Karine qui l'a regardé, imploré en pleurant : «Oh! non, mon Dieu... pas toi... pas *toi*...» et ses yeux reflétaient son propre visage comme deux miroirs.

Il déteste ce qu'il a vu dans ses yeux : l'horreur et une peur terrible.

La pitié.

Il l'a poussée parce qu'il devait le faire, parce qu'elle en savait trop et il la déteste pour ça... déteste...

— Oh! Dominique, gémit-il, je ne voulais pas te tuer.

Il entend encore les hurlements de Dominique qui dégringole sur les rochers, et les siens maintenant que tout est fini...

C'est la faute de Karine.

Elle l'a déjoué. Sa respiration est maintenant saccadée.

Maintenant c'est au tour du vieux...

Chapitre 21

Au début, Karine pense que c'est encore la nuit.

La chambre est noire et elle regarde son réveille-matin comme s'il était brisé : huit heures trente.

Elle se lève d'un bond et va à la fenêtre. Il est difficile de dire où finit l'océan et où commence l'horizon. Tout est sombre, noir, métallique. Quelques percées plus claires se faufilent entre les nuages et une brume recouvre tout. Elle n'ira pas se promener ce matin.

La radio fonctionne en bas et on entend des portes d'armoire claquer et des bruits de voix. Une forte odeur de café monte jusqu'à sa chambre. Le téléphone sonne un coup. Les deux frères doivent être en bas. Karine se demande si la plage sera ouverte.

Elle va dans la penderie et cherche ce qu'elle va bien pouvoir mettre; elle n'a pas prévu une telle température. Dominique lui a emprunté son unique blouson et elle espère qu'elle n'oubliera pas de le lui remettre. En pensant à son amie, Karine sourit. Elles se sont rapidement attachées l'une à l'autre et Karine souhaite qu'elles restent en contact même quand elle sera repartie chez elle. Pourvu qu'elle se soit remise de sa crise avec Stéphane.

Le jean et la chemise qu'elle enfile ne sont pas

suffisamment chauds et, après avoir hésité un moment, Karine fouille dans les vêtements d'Élisa. Peut-être qu'elle pourrait emprunter un chandail de coton qu'elle mettrait sous sa chemise. Il fait vraiment froid...

Karine ne trouve rien sur les cintres et grimpe sur une chaise pour regarder sur la tablette du haut. Elle tire une pile de vêtements vers elle et une boîte sans couvercle remplie d'enveloppes lui tombe dessus.

— Merde!

Karine saute par terre et s'empresse de tout ramasser — papiers, photos, lettres —, essayant d'être le plus discrète possible. Elle a tout remis dans la boîte quand un papier attire son attention. C'est une lettre dépliée sans enveloppe; l'écriture est visible. Mais ce n'est pas surtout l'écriture qui l'intrigue, mais l'en-tête imprimé au haut de la feuille :

HÔPITAL PSYCHIATRIQUE CARTIER

Pendant de longues minutes, Karine fixe ces mots et s'en veut d'en commencer la lecture.

Chère Élisa,

Oui, ça va beaucoup mieux. Comme tu vois, ils me laissent même un stylo pour pouvoir t'écrire! Les médecins disent que je fais des progrès. J'ai beaucoup de temps pour réfléchir, pour penser à ce que j'ai presque fait. Je sais maintenant qu'on ne peut fuir ses problèmes. Je ne serai jamais Julien et papa ne m'acceptera jamais comme il accepte Julien — je dois apprendre à vivre avec ça. Ce que j'ai fait est ce que je peux faire de pire. Mais j'ai une deuxième chance et je veux bien m'en servir.

Comment va papa? Julien me téléphone, mais ne vient jamais me voir. J'imagine qu'on n'a pas envie de parler de moi à ses amis. Mais j'accepte ça aussi. Pourquoi papa ne vient-il pas me voir? Ou ne m'écrit-il pas?

Je suis content que tu aimes le foulard que je t'ai envoyé. Tu es tellement gentille de continuer à m'écrire, de continuer à croire en moi. Je pense que tu es la seule, à part moi, à le faire. J'imagine qu'on se serait mieux connus si on était nés dans deux familles différentes.

C'est le temps de poster ma lettre. J'attends toujours tes lettres avec impatience — elles m'aident à survivre.

Pascal

P.S. Je t'aime, moi aussi.

Karine fixe le vide. Même après avoir replié le papier et l'avoir remis dans la boîte, elle reste assise sur le plancher, les yeux perdus dans le vague.

Pascal dans un hôpital psychiatrique? Elle secoue la tête, incrédule. *Pascal... envieux... de Julien?* Qu'est-ce que Pascal a pu faire? *Hôpital psychiatrique Cartier!* Il y a quelque chose qui cherche à refaire surface... quelque chose d'important... *Hôpital psychiatrique...* quelque chose que Dominique lui a dit...

— Karine? Es-tu réveillée?

Le bruit à la porte la ramène à la réalité au moment où la lumière s'éteint.

— Oui, oui.

Elle remet vite la boîte dans la penderie et ouvre la porte de la chambre. Pourvu que la culpabilité ne se lise pas sur son visage. Julien ne semble rien remarquer.

— Il n'y a plus d'électricité et le téléphone est coupé lui aussi. Je pense que nous allons avoir une superbe tempête.

Karine le suit en bas et découvre Stéphane en train d'allumer une lampe au kérosène. D'après l'air fripé qu'il affiche, elle devine qu'il a passé la nuit sur le divan.

— Ça va mieux? lui demande-t-elle. Veux-tu du café?

Stéphane ronchonne un peu.

— Est-ce que ce divan est rembourré de roches ou quoi?

Julien rit en lui tendant une tasse de café.

— Je suis courbaturé pour le restant de mes jours.

— Tu n'as que le coeur blessé, dit Julien. Ces choses-là prennent du temps.

— Est-ce que quelqu'un a des nouvelles de Dominique? demande Karine.

— Je l'ai appelée, appelée et appelée encore. Hier soir et ce matin aussi. Pas de réponse, et maintenant le téléphone ne fonctionne plus.

Karine commence à avoir peur.

— Est-ce qu'on ne devrait pas aller voir?

— Et la voir gagner encore sur tous les fronts? Jamais!

— C'est souvent l'habitude de Dominique de ne pas répondre quand elle et Stéphane se sont disputés, explique Julien.

— Mais j'aimerais bien lui parler, insiste Karine.

— Parfait, dit Stéphane. Si tu lui parles, dis-lui que c'est une emmerdeuse.

— Stéphane, le reprend Karine.

— Karine, continue Stéphane, dis-lui que c'est sa faute...

— Stéphane, je pense que tu es hors de toi. Qu'est-ce que tu as là?

Stéphane passe la main dans son cou et tâte la marque rouge qui l'encercle.

— J'ai dû perdre ma chaîne hier soir dans l'eau. Merveilleux! Je n'ai plus de clé. En avez-vous une de rechange, les gars?

Julien fouille dans ses poches.

— Pascal a dû m'emprunter la mienne... Allez, Stéphane. Tu es contrarié à propos de Dominique. Viens. Nous prendrons la jeep et irons voir comment elle va.

— Je ne suis pas contrarié. Tout est de sa faute. Elle mérite bien ce qui lui arrive.

Karine sent un frisson lui parcourir le dos. Elle regarde Julien mais il a l'air aussi désolé qu'elle. Sans un mot, il suit Stéphane dans la cuisine, la laissant seule et troublée. *Quelque chose ne va pas...*

Elle ouvre la porte et se retrouve dehors dans la tourmente. Le froid la glace jusqu'aux os.

— Je vais voir Dominique, annonce soudain Stéphane derrière elle. Tu veux venir avec moi?

Elle aimerait bien, mais secoue pourtant la tête.

— Non... je pense que certaines choses ne se règlent pas à trois mais à deux.

Stéphane médite ces mots pleins de sagesse, puis secoue la tête.

— Non. Je continue de penser qu'il serait bon que tu sois là. Tu serais l'arbitre.

Elle lui donne un coup de poing sur le bras et il fait une de ces grimaces dont il a le secret.

— Tu devrais aller avec lui, lance Julien en sortant à son tour. Pascal est parti sur la plage et je dois le rejoindre. Je n'aime pas que tu restes seule.

«Alors, tu as la même sensation que moi, Julien», pense Karine quand leurs yeux se rencontrent. *Quelque chose est bizarre...*

— Oui, viens. Nous prendrons le raccourci par le phare, crie-t-il.

Et ne lui donnant pas le temps de répliquer, il la pousse dans la jeep.

— Assois-toi près de moi! lui ordonne-t-il, et elle se colle contre lui, contente de se réchauffer.

— J'ai besoin d'un blouson! crie-t-elle, mais Stéphane a déjà démarré.

— Tu en prendras un chez Dominique. À quoi penses-tu que je sers, dit-il en passant son bras autour de ses épaules.

Ils saluent Julien qui leur crie quelque chose qui se perd dans le vent.

Un claquement de tonnerre secoue l'air et fend les nuages. Karine sursaute sous les premières gouttes de pluie. Un véritable torrent s'abat sur eux. En quelques secondes, ils sont trempés jusqu'aux os.

Stéphane a de la difficulté à voir à travers le rideau de pluie qui tombe.

— Je n'y vois rien.

— Nous sommes trop près du rivage, dit Karine. Tu devrais...

Karine n'a pas le temps de finir sa phrase. Pendant une seconde, les eaux se déchirent et leur révèlent une masse sombre juste devant eux.

— Qu'est-ce...

Stéphane essaie de garder le contrôle de la jeep. Karine hurle. C'est comme si le sol lâchait prise et s'ils n'avaient plus aucun support. Ils zigzaguent sous la pluie...

Karine se sent projetée dans l'air... l'atterrissage est rude... elle entend un grand craquement quelque part à travers le vent, la pluie et le vent.

— Stéphane! Stéphane, où es-tu?

Les cris se bloquent dans sa gorge et elle porte vite la main à sa bouche; son menton dégouline de sang. Il y en a partout.

«Sur quoi avons-nous buté?» Karine relève la tête tout en crachant du sang et du sable. Sa figure lui semble paralysée... on dirait qu'elle n'a plus de nez...

— Stéphane...

Elle rampe vers ce qu'elle croit être des gémissements, mais la pluie l'épingle au sol.

— J'arrive, Stéphane! Tiens bon!

«Pourquoi ne répond-il pas?»

— Stéphane!

Elle réussit à se mettre sur ses genoux, la tête éclatant de douleur, puis sur ses pieds. Elle a de l'eau jusqu'aux chevilles. Étaient-ils si près de l'océan? Elle n'a aucune idée de la distance à laquelle elle a été projetée dans l'accident. Et maintenant il lui vient à l'esprit que Stéphane ne répond pas parce que la jeep s'est perdue dans l'océan.

— Stéphane!

On ne distingue rien; eau, ciel, sable et rochers se confondent. «Mais non, se dit-elle, c'est impossible. Si je me calme, j'y verrai plus clair...»

C'est alors qu'elle voit la jeep couchée sur le côté à environ sept mètres d'elle. Elle s'avance en trébuchant.

— Oh, Stéphane, dit-elle à voix basse pour s'encourager.

Elle a peur de ce qu'elle va trouver. Mais il n'y a

rien ni personne. Stéphane n'est pas là. Elle est seule. La panique s'empare d'elle et elle se met à tourner en rond en gémissant.

— Stéphane! Stéphane! Où es-tu?

C'est complètement fou! Il ne peut pas avoir disparu! C'est *impossible*! Il n'y a nulle autre place que les falaises où aller et personne ne s'y aventurerait en étant blessé, surtout avec une telle température. Le cerveau de Karine fonctionne au ralenti et elle ravale un sanglot. Il ne peut pas l'avoir laissée là. Pourquoi serait-il parti en l'abandonnant, avant même d'avoir tenté de la retrouver, avant de l'appeler...?

«Au secours... Je dois rentrer et trouver de l'aide». Elle n'a aucune idée de la distance parcourue ni du temps qu'il lui faudrait pour rentrer. Elle se rappelle que Pascal et Julien sont quelque part sur la plage — si seulement elle pouvait les trouver. Mais si Stéphane est inconscient elle ne sait où, sa vie dépend d'elle.

Karine tente de courir, tête baissée contre le vent; elle s'écroule; elle repart. Sa tête lui fait mal et sa jambe gauche semble dévier d'une façon bizarre sur le côté. Elle ferme les yeux et serre les dents, allant chercher à l'intérieur d'elle tout ce qu'il lui reste de forces.

Elle ne voit rien jusqu'à ce qu'elle bute contre un corps. Elle se jette à côté, des larmes plein les yeux, et elle scrute la forme dans le sable.

— Oh, non... Stéphane!

Mais même si elle le dit, elle sait pertinemment que ce n'est pas Stéphane. Même quand elle dit son nom, même quand sa main touche l'épaule, même quand elle soulève le corps avec précaution, elle a la certitude que ce cadavre a causé leur accident et que ce n'est pas Stéphane.

Le corps est enfoncé dans le sable.

Karine donne une dernière poussée et le corps se dégage, tombant sur le dos comme une grosse poupée de son.

Karine pense qu'il crie. Sa bouche est ouverte. Puis elle voit les dents jaunies et la langue enflée qui remplit toute la cavité...

Et le trou béant là où devrait être le bandeau... Et le long foulard rouge autour de son cou.

Isaac est bien mort et les cris viennent d'ailleurs : du vent, de la mer, des détours de son esprit...

Isaac!

L'estomac de Karine se révulse, la tête lui fait mal. Isaac! Il a fini comme toutes ses innocentes victimes. Karine est enfin en sécurité... Pascal... Julien... tout le monde est en sécurité...

Fascinée, elle dévisage la silhouette grotesque et aperçoit une chose brillante dans sa main, une petite chose bleue. Même dans la mort, Isaac la tient serrée dans ses doigts. Curieuse, Karine se penche et la prend. «Et s'il n'était pas mort... qu'il m'attrape et m'entraîne dans l'eau avec lui...» Elle examine la chose et recule, pétrifiée.

C'est une clé.

Elle en a vue une comme celle-là avant.

Karine a peur de perdre connaissance. Elle se rappelle la colère de Pascal... *«Seuls les sauveteurs ont les clés de la barrière...»*

Seuls les sauveteurs.

Stéphane s'est aperçu ce matin qu'il avait perdu sa clé. Sans doute le soir avant, dans l'eau... quand il cherchait une victime que personne n'a vue...

«Oh, mon Dieu!» soupire Karine. Elle fixe la figure contractée d'Isaac, comme prise dans la glace. Elle se rappelle qu'elle s'est débattue contre lui et qu'il était fort. Mais quelqu'un a été plus fort. Isaac a dû défendre sa vie avec acharnement. Avec assez d'acharnement pour arracher la clé de l'attaquant sans qu'il s'en aperçoive... pour l'arracher de la chaîne de son cou et causer une blessure...

Elle ne peut arriver à le croire.

Karine commence à pleurer. Pour Élisa. Pour elle. Pour Isaac. «Oh! non, non...»

Seulement les sauveteurs.

Dans le brouillard, elle entrevoit une grande forme sombre. La forme avance lentement, en prenant tout son temps.

— Karine! crie Stéphane. Je sais que tu es là!

Et Karine se met à courir...

Elle sait qu'elle va mourir.

Chapitre 22

Karine ne sait pas où elle va. La panique lui enlève tout sens de l'orientation; elle court frénétiquement le long de la plage. Où est-il maintenant? Va-t-il la tuer d'abord et la jeter à la mer ensuite ou...

— Non! hurle-t-elle.

Tout ce qu'elle a en tête sont des images sanglantes et d'autres souvenirs. Le mauvais caractère de Stéphane, la jalousie de Stéphane, sa façon de traiter Dominique, tout commence à avoir du sens. Elle se souvient de sa gentillesse quand il lui a fait visiter sa chambre et lui a parlé de ce petit daim : *«Je prends ce que je n'ai pas»*, *«elle a ce qu'elle mérite... »*, *«les bêtes ne te voient pas, mais elles te sentent...»*

Karine, je pense que quelqu'un va me tuer.

Élisa avait tout deviné. Combien de temps l'avait-il poursuivie, traquée, attendant sa chance, s'amusant de sa peur, sachant très bien qu'il la tuerait...

— Elle te faisait confiance! crie Karine.

Elle tombe face contre terre, balayée par le vent. Elle doit pourtant se relever... aller chercher de l'aide. Elle bouge comme dans des sables mouvants. Combien de filles a-t-il poursuivies ainsi? Et les meurtres au collège de Stéphane... ces jeunes filles

143

qui ne seraient jamais allées avec un étranger... des jeunes filles qui ont disparu de la face de la terre? Il a donc satisfait ses pulsions partout où il a été...

Elle entend ses pas derrière elle.

Elle se remet debout et court pour sauver sa vie.

Isaac connaissait le meurtrier et il est mort. C'est de sa faute. Parce qu'elle a raconté ses soupçons, parce qu'elle a fait confiance à Stéphane, parce qu'elle a été curieuse. Stéphane s'est systématiquement débarrassé de tous les témoins et maintenant qu'elle a vu Isaac, qu'elle sait qu'il a été étranglé avant d'être jeté à la mer, c'est à son tour...

Stéphane l'a espionnée. Il a joué à l'écouter au téléphone, à fouiller dans sa chambre. Isaac a bien tenté de la prévenir et elle ne l'a pas cru. Mais Isaac est bel et bien mort, elle l'a vu et elle a vu la clé.

Elle connaît le meurtrier à son tour.

Stéphane ne peut pas se permettre de lui laisser la vie.

Karine fait un arrêt brutal. Les falaises se hérissent devant elle, bloquant sa retraite. Avec un cri de terreur, elle change de direction jusqu'à ce qu'elle tombe sur le chemin du phare. La barrière est ouverte.

Karine plonge en avant, monte la côte. Combien de temps pourra-t-elle tenir? Elle ne sent plus rien. Tous les bruits sont Stéphane : Stéphane sortant du brouillard, de la pluie, des ombres pour la tuer. «Amusant, pense-t-elle avec une envie irrésistible de rire, amusant comme tout ceci est absurde. Pascal détestait Stéphane, aurait dû le soupçonner. *Et j'avais peur de Pascal...*»

— Karine!

Elle fige sur place.

Le cri vient du devant, et il est différent.

— Karine!

Elle ne peut plus avancer. Tout est désert autour d'elle. Il n'y a que le phare qui émerge de la pluie comme un grand fantôme, les vagues contours de sa porte... et ceux d'une silhouette noire à l'intérieur.

— Karine, implore la voix pleine de douleur et de peur. C'est Dominique... aide-moi!

Comment elle réussit à franchir les derniers mètres jusqu'à la porte et à tomber à l'intérieur? Karine n'en a aucune idée.

— Dominique! pleure-t-elle, le souffle coupé. Où es-tu?

Mais seuls les hurlements du vent qui s'engouffre par tous les orifices lui répondent.

— Dominique? chuchote Karine et sa voix lui revient transportée par l'écho... *Dominique... Dominique...*

Elle se lève et fouille la pièce des yeux. Presque tout le plancher est effondré de même que ceux d'en haut. D'où elle est, Karine peut voir le dôme du phare à travers les trous des plafonds. La pluie tombe sur elle depuis le haut de la tour. Là où les portes étaient, des grappes de petites choses noires sont suspendues aux madriers. Karine recule, alarmée, quand une des chauve-souris déplie ses ailes.

— Dominique, murmure-t-elle.

Ses yeux cherchent à percer l'ombre et à reconnaître les formes indistinctes dans la faible lumière...

Le coeur de Karine arrête de battre. Sur le plancher, une lanterne diffuse une pâle lumière. *Quelqu'un était là...*

— Karine, au secours!

Elle frissonne en entendant ce cri.

— Dominique!

— Je suis blessée! Je pense que ma jambe est brisée. Viens en bas!

«En bas... mais j'ai eu l'impression de la voir dans le cadre de la porte...»

— Où?

Un mélange de peur et de soulagement la submerge alors qu'elle se dirige vers la voix. Au moins, Dominique est sauve, mais pourquoi est-elle venue ici alors qu'elle sait qu'il n'y a jamais personne?

— Tiens bon! J'arrive!

Karine se rapproche de la lanterne. C'est là qu'elle voit la cage d'un escalier qui descend ou du moins ce qui en reste : des marches de métal rouillé.

— Qu'est-ce qui t'est arrivé? Es-tu tombée?

Karine attend une réponse, mais il n'y a rien.

— Dominique? appelle-t-elle doucement.

Elle prend la lanterne et commence lentement à descendre. À chaque pas elle a peur que l'escalier s'effondre. Elle tend l'oreille et regarde droit devant elle, loin des ombres grotesques projetées sur les murs. Chaque pas, chaque pulsation de son coeur sont amplifiés une centaine de fois. Elle a l'impression de descendre dans un caveau.

— Dominique? S'il te plaît, réponds-moi.

Encore l'écho. Sa voix, le vent, la pluie et l'eau lui reviennent comme un écho.

Karine perd pied et tombe dans le vide. En criant, elle tente de s'accrocher à la rampe qui se détache du mur en un grincement affreux. La lanterne s'échappe de ses mains et roule en éclairant des murs de pierre, des roches humides et des chauves-souris... plein de chauves-souris qui virevoltent autour d'elle.

Elle atterrit brusquement, le souffle court, et elle doit attendre plusieurs minutes, les yeux rivés sur la lumière de la lanterne. Par miracle, elle ne s'est pas éteinte.

Elle se trouve dans une sorte de grotte.

Elle n'entend que sa propre respiration, superficielle et laborieuse, venant de partout autour d'elle comme si d'autres personnes respiraient avec elle. Une odeur écoeurante plane dans l'air : l'odeur de la viande pourrie. Karine porte la main à sa figure et la ramène couverte de sang; sa jambe, repliée sous elle, lui fait terriblement mal. *«Ma jambe...»*

— Dominique, tente-t-elle de nouveau.

Elle essaie de se mettre sur son coude et de partir à la recherche de son amie.

— Dominique, je pense que j'ai fait comme toi...

Elle tâte son genou et ramasse ses forces pour ne pas perdre conscience.

— Dominique, nous avions tort... Ce n'était pas Isaac, c'était Stéphane. Nous devons sortir d'ici, m'entends-tu? Dominique, où es-tu?

Mais la voix qui lui revient du noir se met à rire... comme Dominique aurait ri...

— Oh! Karine... Karine... fait la voix, amusée...

Mais ce n'est pas Dominique.

Quelqu'un essaie de se faire passer pour elle, mais ce n'est pas Dominique...

La voix rit encore, et Karine reconnaît ce rire qu'elle a déjà entendu... quand elle était seule dans le phare...

Et la voix rit toujours.

— Dominique ne peut pas t'aider, dit la voix.

Chapitre 23

— Que lui as-tu fait? crie Karine en s'assoyant, les bras serrés autour de sa poitrine.

«Comment est-il arrivé ici sans que je le sache?» La douleur et l'odeur nauséabonde lui font tourner la tête.

La lanterne dessine un rond de lumière sur la roche. Juste au-dessus, là où la lumière n'a pas accès, des pas se font entendre, puis plus rien.

— Dominique! crie Karine en larmes. Où est-elle Stéphane? Que lui as-tu fait?

— Karine, la sermonne gentiment la voix haute et chantante qui n'est pas — ne peut pas être — celle de Dominique... ne peut pas être humaine.

— Karine, tu m'as fait faire une grave erreur en prêtant ton blouson à Dominique hier soir...

Les yeux démesurément agrandis, Karine écoute, en larmes.

— Où est Dominique? Dis-moi où elle est!

— Comment voulais-tu que je sache que tu ne portais pas ton blouson? Et je suis là avec le mauvais cadavre sur les bras. Quel gaspillage...

Les pas se déplacent, puis s'arrêtent encore une fois.

— Pourquoi fais-tu ça? demande Karine en essayant de se relever.

— Pourquoi? lance la voix qui semble venir de partout dans la grotte. Parce que ça me donne du pouvoir. Je peux marcher dans une foule et choisir ma victime au grand jour, lui parler. Je peux sortir avec elle et lui payer du bon temps... la rendre amoureuse de moi.

Il y a un léger silence, puis la voix reprend :

— Et voilà la partie la plus amusante. Elle ne peut jamais même rêver que je vais la tuer... jamais avoir le plus infime soupçon que je tiens sa vie... entre mes mains.

— Tu n'es pas obligé de faire ça! Tu as tout ce qu'on peut rêver d'avoir!

Karine tente de se lever, mais glisse sur les roches humides. Elle sait qu'il la surveille, s'amusant de ses efforts et elle s'éloigne de la lumière.

Les pas se déplacent. Stéphane veut la garder à l'oeil.

— Mais Élisa t'aimait! Elle te faisait confiance!

— Oui, elle me faisait confiance. Mais... elles m'ont toutes fait confiance.

Un autre arrêt et la voix reprend avec tristesse :

— Je ne voulais pas faire de mal à Élisa, mais elle a tout découvert à mon sujet. Je n'avais pas le choix. Quelquefois les gens n'ont pas le choix, tu sais.

Karine essaie de gagner du temps, reculant centimètre après centimètre dans le noir. L'escalier n'est pas loin derrière elle; si seulement elle pouvait y arriver.

— Je n'ai pas plus le choix maintenant, ne le vois-tu pas? J'aurais aimé que tu restes sur l'île... mais tu en sais trop. Tu peux tout révéler et ils vont m'arrêter...

«Les marches... mon Dieu, aide-moi...»

— Je peux te laisser ici, bien sûr, continue-t-il. Toutes ces grottes se remplissent d'eau à la marée haute... ou d'autres fois... pendant les orages. Mais tu souffrirais trop. D'avoir peur toute seule dans l'eau, dans le noir. Les chauves-souris viendront, et les couleuvres, et les rats...

Karine combat une vague de panique. *Un peu plus... un petit peu plus...*

— Je t'aime trop pour te laisser souffrir. Je vais faire vite et bien. Je suis un expert, tu vas voir.

Le corps de Karine sursaute quand elle entend les semelles avancer sur les roches et la silhouette se profiler dans la lumière jaune.

— Karine, chuchote la voix, tu ne m'échapperas pas. Tu vas dans la mauvaise direction.

Elle plonge dans le noir, sans croire que l'escalier est si loin, et elle l'entend courir derrière elle, sent ses mains dans son dos; elle hurle et se jette plus loin.

Elle tombe sur un corps. Dans une fraction de seconde d'horreur, Karine voit le visage, les yeux briller dans le noir, la regarder au-dessus du bâillon, à peine vivants sous le bandage plein de sang séché.

— Oh, non! *Élisa!*

L'eau monte. Karine sent l'océan arriver à elle. Elle veut refaire surface, mais une main lui tient la tête sous l'eau. Elle se débat, lutte — les yeux agrandis, mais qui ne voient rien. Tout autour d'elle est noir.

La pression sur sa tête se relâche. Elle prend une grande goulée d'air aussitôt à la surface, mais la main la repousse sous l'eau. Elle entend vaguement des bruits assourdis et éloignés. Mais l'eau l'entoure de partout.

Une deuxième chance... et même en train de se noyer, Karine reconnaît l'ironie de tout ça. *Sauvée une fois de la noyade pour se noyer plus tard...*

— *Karine...*

Comme venu d'un rêve, un appel vient du fond de l'eau.

— *Karine... où es-tu?*

L'air froid lui fouette le visage et elle sent des mains sur ses épaules. Elle ne peut pas distinguer les yeux ou la figure, mais de fortes mains, des épaules et une poitrine nue.

«Mon Dieu, il est sous l'eau avec moi!»

Une nouvelle terreur l'envahit; elle l'entend crier pendant qu'elle lui enfonce les ongles dans la figure.

— Karine, Karine!

Elle se sent de glace car elle vient de reconnaître la voix — cette voix profonde et froide dont elle a toujours eu peur.

Elle s'est trompée. Le meurtrier n'est pas Stéphane. C'est Pascal.

— Non! hurle-t-elle alors que ses poumons se remplissent d'eau.

Les meurtres du collège Bernages, tout près de l'hôpital psychiatrique Cartier. Pascal la laisse aller et tourne sous l'eau. Quelque chose se passe, elle en a l'intuition.

— Karine...

Comme si la mort l'appelait du plus profond de l'eau. Sa tête refait surface une autre fois et des bras lui prennent les épaules, quelqu'un crie et la lanterne jette une petite clarté dans la grotte.

— Ne lutte pas, dit la voix. Ce sera plus facile si tu ne luttes pas...

Puis le grondement remplit son crâne.

— Ne lutte pas...

Julien... Elle le voit enfin, ses yeux, sa figure tout près de la sienne... ses bras autour d'elle...

— Julien, halète-t-elle, reconnaissante.

«Tu es venu me sauver... sauver ma vie...»

Ses bras autour d'elle, ses mains... autour de son cou... serrant...

— Ne lutte pas!

Mais elle lutte. Elle prend le plus d'air possible dans ses poumons et elle sent venir cette ultime seconde où les forces l'abandonnent et où l'eau noire et silencieuse suit lentement son chemin.

— Non... fait la voix assourdie de Julien.

Sa vie s'en va. Elle sait qu'elle va mourir comme dans un cauchemar. Elle entend les cris de Stéphane, le flux de la mer...

Puis, c'est le calme sur un froid plancher de caverne...

Et les sanglots de Pascal.

Chapitre 24

La lumière.

Elle lui brûle les yeux et elle se retourne vivement.

— Ça va. Tu es en sécurité maintenant.

La voix profonde est tout près; elle parle doucement et la main qui tenait la sienne se retire.

Karine cligne des yeux à la vue de la clarté et de la fenêtre aux rideaux grands ouverts. Elle regarde autour de la chambre, reconnaissant lentement l'environnement d'un hôpital. Elle porte les mains à son visage. Il est couvert de bandages.

— Tu es à la clinique. Te rappelles-tu quelque chose? demande Pascal.

C'est alors qu'elle le découvre, assis près d'elle, les yeux creux et injectés de sang, les traits tendus. Une ombre se profile sur sa lèvre supérieure et on dirait qu'il a passé plusieurs fois la main dans ses cheveux. Elle le dévisage en hochant la tête. *«Oui... ça me revient maintenant...»* Elle sent un sanglot monter dans sa gorge et des larmes roulent sur ses joues.

— Julien.

— J'ai tenté de le sortir de là, mais il nageait toujours plus loin... dit Pascal, le visage crispé.

Le désespoir envahit Karine comme une vague et elle attrape le bras de Pascal.

— J'ai vu Élisa...

— Je sais. Ils l'ont emmenée à l'hôpital sur le continent. Elle est près de papa maintenant.

— Comment va-t-elle? Je pensais...

— Elle est en vie, rétorque gentiment Pascal.

— Et Dominique? Pascal, je pense que Dominique est là-dessous elle aussi.

— Non, Karine, je suis ici.

Karine voit son amie, une jambe dans le plâtre, aidée par Stéphane. Elles se jettent dans les bras l'une de l'autre et pleurent.

— Karine... il a essayé de me tuer... hoquette Dominique. Il pensait que j'étais morte parce qu'il m'avait jetée en bas de la falaise et j'ai atterri sur des rochers. J'ai dû rester évanouie un moment et quand je suis revenue à moi, il n'était plus là et j'ai rampé jusqu'à la plage. Pour t'avertir.

Karine serre son amie sur son coeur.

— La plage grouillait de gens. C'est là que j'ai appris ce qui s'était passé au phare — que Stéphane était parti chercher de l'aide et que Pascal était resté avec toi et Élisa pour tenter de la garder en vie.

— C'est Pascal qui t'a donné la respiration bouche à bouche, fait Stéphane. Moi, je n'ai fait qu'arrêter tes hémorragies. C'était pas sorcier.

Malgré toutes les émotions, les filles éclatent de rire.

Stéphane attire Dominique contre lui.

— Viens, je te ramène à la maison où je peux te surveiller, lui dit encore Stéphane, d'un ton bourru. Avant que tu te mettes encore dans le pétrin.

Il se penche, serre l'épaule de Karine et lui dit

tout bas :

— Tu es entre bonnes mains. Repose-toi.

Karine acquiesce et avale la boule qui s'est logée dans sa gorge. Stéphane et Dominique disparaissent dans le corridor. Pascal enfouit sa tête dans ses mains.

— Tu pensais que c'était moi.

— Je pensais que c'était tout le monde, dit lentement Karine, sauf Julien.

Elle ne peut pas le regarder même si elle sent ses yeux posés sur elle.

— Je n'aurais jamais pu faire de mal à Élisa. C'était la seule qui se préoccupait de moi, de nous tous. C'était celle qui tentait de tenir la famille unie. Papa l'adorait, aurait fait n'importe quoi pour lui plaire. Il ne voulait pas de garçons dans les jambes et il nous a parqué quelque part pour pouvoir continuer son travail en paix. Julien était l'exception. Julien le remplissait de fierté.

Karine le regarde alors avec un peu de culpabilité.

— J'ai trouvé une de tes lettres à Élisa. Quand tu étais à l'hôpital.

Un demi-sourire s'installe sur ses lèvres.

— Elle était la seule à m'écrire. Je n'ai jamais entendu parler de papa — trop occupé à avoir honte, je suppose. Non plus de Julien...

— Pourquoi étais-tu là-dedans?

— À t'entendre, on dirait que j'étais en prison, dit-il en riant.

— Je suis désolée, je...

— Non, ça va. Ce n'est pas un grand secret. J'étais déprimé et je ne savais plus quoi faire de ma vie. Bien ordinaire, non? Sauf que je n'avais personne à qui parler... je suis devenu à moitié fou. Jusqu'à me détester.

— Tu as essayé... de t'enlever la vie?

Un autre signe de tête plein de regrets.

— Quelle chose stupide à faire. Tu le fais quand tu penses que le monde entier est contre toi. Je pensais être le seul à avoir des problèmes. J'aurais aimé savoir pour Julien...

— Tu ne le soupçonnais pas?

— Non. Quand les choses ont commencé à se gâter sur l'île, j'ai pensé que ça pouvait être Stéphane.

Il a l'air tellement désolé que les yeux de Karine se mettent à piquer.

— Et ton père, il ne soupçonnait rien non plus?

— J'imagine que ça doit être difficile de soupçonner quelqu'un qui est parfait. Les meilleures notes. L'allure parfaite. Une personnalité en or. Parfait déguisement, conclut-il, la figure triste.

— Tu étais dans la même ville quand il était à l'école.

— Oui, c'était l'idée de papa. Pour s'enlever un peu de culpabilité, je suppose. Mais Julien n'est jamais venu me voir. Trop occupé à faire autre chose, ajoute-t-il les yeux remplis d'horreur.

Karine frissonne.

— As-tu froid?

Pascal remonte ses couvertures. Karine est surprise de sa délicatesse, de sa tendresse, et elle sourit.

— Je suis bien. As-tu beaucoup d'expérience dans l'art de border les filles?

Pour la première fois, elle le voit rougir. Il s'éclaircit la gorge, imperturbable.

— Tu deviens un peu trop intime.

— Mais tu as sauvé ma vie après tout. Comment

156

m'as-tu trouvée?

— C'est Stéphane qui m'a trouvé sur la plage. Il te cherchait et m'a dit que la jeep s'était renversée. Il avait peur que tu erres, victime d'une commotion cérébrale. Il t'avait vue dans le brouillard, mais tu t'étais enfuie vers le phare...

Karine ferme les yeux, l'esprit envahi d'images.

— Ton genou est mal en point et ton front... mais je pense que tu vas bien t'en sortir. Je vais aller te réchauffer du thé.

Leurs yeux se rencontrent et Karine sait que les siens sont encore une fois remplis de larmes.

— Pourquoi... n'a-t-il pas tué Élisa?

Pascal reste silencieux un long moment.

— Je pense que seul Julien aurait une réponse. Nous ne le saurons jamais.

Karine se sent vide tout à coup. Elle regarde la tête inclinée près d'elle.

— Que va-t-il arriver maintenant?

— Avec Stéphane et sa version des faits, l'histoire va vite être réglée.

Elle hoche la tête, trouvant difficilement ses mots.

— Et que vas-tu dire à ton père?

— Que c'est fini, dit-il tout calme. Que c'est enfin fini.

Les larmes coulent de nouveau sur les joues de Karine. Elle serre les doigts forts et doux posés sur la couverture.

— Une deuxième chance, chuchote-t-elle.

Il lui sourit.

— Une deuxième chance, dit-il.

Il porte sa main à ses lèvres...

Et l'embrasse.

Notes sur l'auteure

Richie Tankersley Cusick est née et a grandi en compagnie du fantôme de la maison, à La Nouvelle-Orléans, en Louisiane. Elle vit maintenant à Kansas City, au Missouri, avec son époux Rick, dessinateur et calligraphe, et leur épagneul, Hannah.

Madame Cusick, auteure d'un autre livre, *Evil on the Bayou*, compose de la musique et adore lire. Elle écrit ses livres, installée à un secrétaire (qu'elle dit hanté) ayant appartenu à un entrepreneur de pompes funèbres dans les années 1880.